Datod

I gofio am D.

*Hefyd i'r cannoedd o ofalwyr
di-dâl yng Nghymru, a'r gofalwyr proffesiynol
sy'n haeddu'r parch mwyaf a thâl teg.*

Datod
Profiadau unigolion o ddementia

Golygydd
Beti George

Diolchaf o galon i bawb sydd wedi cyfrannu i'r gyfrol. Mae'ch gonestrwydd a'ch angerdd wrth adrodd eich hanesion ac wrth sôn am eich ymroddiad i'ch gwaith a'ch ymchwil pwysig yn haeddu'n gwerthfawrogiad. Hyderaf hefyd y bydd y rheiny sy'n llywio'r olwynion yn cymryd sylw ac yn gweithredu i wella bywydau pobl sydd â dementia.

Argraffiad cyntaf: 2021

© Hawlfraint Y Lolfa Cyf. a'r awduron unigol, 2021

Dymuna'r cyhoeddwyr gydnabod cymorth ariannol
Cyngor Llyfrau Cymru

Cynllun y clawr: Steffan Dafydd

Rhif Llyfr Rhyngwladol: 978 1 80099 044 9

Cyhoeddwyd, rhwymwyd ac argraffwyd yng Nghymru gan
Y Lolfa Cyf., Talybont, Ceredigion SY24 5HE
gwefan www.ylolfa.com
e-bost ylolfa@ylolfa.com
ffôn 01970 832 304
ffacs 832 782

CYNNWYS

RHAGAIR A PHROFIAD

Beti George

50,000 o leiaf â dementia yng Nghymru

"With an ageing population, no approved treatments to slow it, an overstretched social care system, we need to take urgent action to tackle dementia in Wales." – Sue Phelps, cyfarwyddwr Cymdeithas Alzheimer's Cymru.

Amen, ddweda i. A dwi'n siŵr mai dyna fyddai ymateb y rheiny sydd wedi cyfrannu i'r gyfrol hon. Mae fy niolch iddynt yn ddiffuant.

Yn 2008 y dois i wyneb yn wyneb â dyfodol oedd yn golygu bod ein byd yn mynd i droi wyneb i waered. Datod ymennydd a datod cynlluniau bywyd. Y bwgan oedd Alzheimer's. Doedd gan David, fy mhartner, ddim syniad pwy oedd y Dr Alzheimer a beth oedd y clefyd a alwyd ar ei ôl. Yr unig beth yr oedd e'n hollol glir yn ei gylch oedd nad oedd ganddo ddementia: "I'm not demented." Ydi, mae'r gair yn un anffodus. Clefyd sy'n taro'r ymennydd yw e. Mae'n effeithio ar iechyd y meddwl ond nid afiechyd meddwl mohono. Anghofio *punchline* jôc mewn parti a barodd i David gredu bod rhywbeth o'i le, er fy mod i wedi sylwi ar bethau bach cyn hynny, fel methu cyfrif symiau o arian ar gyfer mantolen roedd e'n ei pharatoi.

Ar ôl cael y diagnosis aeth bywyd yn ei flaen heb fawr o newid am ryw bedair i bum mlynedd. Dwi wedi dod o hyd i ryw lun ar ddyddiadur sgrifennais i o fis Medi 2014, bum mlynedd a hanner wedi iddo gael y diagnosis o Alzheimer's.

Medi 22, 2014

Rhywun wedi ffonio pan rown i mas, ond David yn anghofio enw'r un oedd wedi galw.

"I used to be pretty good at remembering. Now it's all jumbled in my head."

Medi 25, 2014

Sioni Winwns yn galw. David yn dweud wrtho am aros am funud, ac yn dod 'nôl â llyfr i'w ddangos – casgliad James Bond. Yn ei agor ar dudalen *Casino Royale*, a Bond yn Ffrainc. Lot o eiriau Ffrangeg. Eto, pan ofynnais iddo neud paned o de, doedd e ddim yn gwybod beth oedd cwpan.

Hydref 19, 2014

Yn anghofio ffordd i siafo. Gofyn iddo oedd e wedi anghofio.

"Yes," oedd yr ateb.

Trio gwisgo ei grys am ei goese – meddwl mai trowsus yw e. (*Fe fyddai weithiau yn cydio mewn brws dannedd i siafo a raser i lanhau ei ddannedd.*)

Gweld Boris Johnson ar glawr yr *Observer* ac yn chwerthin ho-ho.

"Pam ti'n chwerthin?"

"He is supposed to be the Mayor of London," medde fe.

Tachwedd 27, 2014

"It's only me who knows what's going on in here. Only me who knows what it's like."

Nadolig 2014

Ddim yn hoffi'r cyfnod. Adeg edrych yn ôl. Meddwl am orffennol D a'i allu gyda geirie a nawr yn methu mynegi dim. Yn dal i siarad ond yr hen ellyllon yn ei ymennydd yn cael sbort ac yn gwthio geirie mas sy ddim yn gneud sens. Yn amlwg yn poeni 'mod i'n ei adael am bum niwrnod. (*Roeddwn i'n mynd i ffilmio ar gyfer cyfres i S4C.*) Golwg boenus yn ei lyged. Yn edrych ar fap a dod o hyd i Dansanïa.

Mae'n dal i fod mor ymwybodol o'r hyn sy'n digwydd o'i gwmpas. Ond wedyn, weithie, mae hi fel pantomeim.

Mae e'n galw amdana i, a finne'n dod ato o'r gegin y tu ôl iddo. Ond mae'n dal i ofyn ble rydw i. Finne'n dweud, "I'm behind you!" Pan sylweddola, mae'n chwerthin!

Mae'n gofyn i fi ei briodi. Felly mae'n cofio hynny! (*Roedden ni wedi bod yn byw gyda'n gilydd am bron i 40 mlynedd erbyn hynny, a doeddwn i ddim wedi gweld y pwynt o briodi!*)

Sul y Pasg, 2015

Gwylio'r ffilm *King of Kings* a fe'n gofyn, "Are you really watching this?"

"It's the story of Jesus," meddwn i.

A dyma fe'n chwerthin.

"Felly dwyt ti ddim yn credu?" meddwn i.

"Oh yes," ateba, ac mae'n dal i chwerthin.

Wedyn y swper ola, a dyma fe'n chwerthin eto ac yn rhoi ei fys yn ei geg – pop! – gan gyfeirio at y gwin! (*Roedd e'n hoff o'i win coch.*)

Nadolig 2015

Mynd am ginio at ffrindiau yn y Fro. Gofyn iddo cyn dechre'r siwrnai am fynd i'r tŷ bach. "Have a pee," medde fi.

"With what?" medde fe, gan chwerthin.

(*Ni ddiflannodd ei hiwmor o gwbwl. Yn ei ddyddiau olaf, hyd yn oed, byddai'n cael hwyl yn edrych ar fideos o Max Boyce.*

Ond ei ymddygiad yn ymwneud â'r tŷ bach oedd y mwya heriol. Roedd e wedi anghofio'r hyn oedd i ddigwydd a'r ffordd roedd e i ddigwydd!)

Ionawr 22, 2016

Yn dawel iawn bore 'ma. Tristwch yn ei lygaid, fel petai'n sylweddoli ei sefyllfa. Yn ei helpu i siafo a chael cawod. Dim ffwdan.

Yn eistedd yn dawel ac yn mynd trwy'r pentwr llyfrau ar ei ford fach. (*Y llyfrau oedd heb gloriau gan ei fod yn rhwygo'r rheiny i ffwrdd o bob llyfr.*)

Dweud ei fod am fynd i'r tŷ bach ond ddim yn siŵr pam a beth i neud. Wedi rhyw ddeg munud, mae e wedi penderfynu mai pisho mae e am neud.

"Iawn," meddwn i wrtho fe. "Gwna fel ti'n neud yn yr ardd weithiau."

Bant ag e. Croesi 'mysedd. Wedi pum munud, mynd i weld. Roedd e wedi gneud yn iawn, heb wlychu ei drowsus. Ac mor hapus.

"Easy, isn't it?" meddwn i.

"Surprising," medde fe.

(*Ond doedd hi ddim mor ddiffwdan â hynny wrth i'r hen glefyd ddwysáu. Fe ddwedodd wrthyf unwaith pan oeddwn yn ei atgoffa i fynd i'r tŷ bach: "I'm afraid." Yr ymennydd yn y fath bicil nes bod y toiled yn ei ddychryn! Roedd hi'n frwydr yn aml yn y lle ymolch.*)

Mawrth 9, 2016

Wrth baratoi i fynd i'r gwely, meddwl am y gwaith gofalu. Y gwaith darlledu yn cadw fi'n gall.

Rhaid rhoi cawod i D am ei fod wedi cael 'damwain'. Gwrthod yn deg ac yn 'gwrthryfela'. (*Roedd 'na dynnu gwallt a chleisio yn digwydd ar adegau fel yma.*) Yn y diwedd yn gneud, ac yna'n diolch i fi: "I love you." A finne'n gofyn iddo beidio brwydro yn fy erbyn.

Mawrth 10, 2016

Y bore 'ma cyn codi, D am gael cwtshys.

"Thank God for you. Are you happy?"

"Yes, I am," atebais i.

"So am I."

Dechre da i'r diwrnod!

Mae dementia yn glefyd sy'n llawer mwy cymhleth na cholli cof – er mor rhyfedd yw hynny. Doedd David yn cofio dim iddo fod yn newyddiadurwr, yn sylwebydd rygbi, ac yn awdur rhyw ddwsin o lyfrau. Pan fyddwn i'n estyn un o'i lyfrau fe i'w ddarllen, fe fyddwn yn gofyn iddo, "Pwy sgrifennodd hwn?" Doedd e ddim yn gwybod. Dangos iddo wedyn ei enw ar y clawr.

"That's me. Did I write this book?" oedd ei ymateb.

Yr hyn oedd yn torri 'nghalon i oedd y fflachiadau

hynny o sylweddoli'r sefyllfa a arferai gael bob hyn a hyn. Ei ddal unwaith yn edrych yn y drych ac yn dweud wrtho'i hun, "I'm dead."

F'ymateb i oedd, "Wel, mor bell â dwi'n gwbod, dyw pobl sy wedi marw ddim yn siarad." "You weren't supposed to hear that," oedd ei ateb e, yn gwbwl ymwybodol o beth oedd e wedi ei ddweud. Ac yna, torri'r garw a chwerthin.

Clefyd yw dementia (ac Alzheimer's), fel mae canser yn glefyd. Dyna pam ei bod hi'n anodd deall pam nad yw dementia yn cael ei ystyried yn glefyd dan y Gwasanaeth Iechyd. Wrth gwrs, petai hynny'n wir, yna byddai gofal dementia, fel gofal canser neu ofal clefyd y galon, yn rhad ac am ddim. Ond mae'n rhaid talu am ofal dementia.

A dyna fi, ar fy union, yn mynd ar fy mocs sebon.

Mae geiriau rhai fel Mrs A sy'n gofalu am ei gŵr, a John Phillips a gollodd ei wraig Bethan i'r clefyd, yn dangos pa mor annheg yw'r sefyllfa. A beth bynnag, mae 'na ddiffygion enbyd yn y gwasanaethau gofal dementia. Chefais i ddim help o unrhyw werth tan ryw chwe mis cyn i David farw. Deuddeg awr yr wythnos i ddechrau. Bu'n rhaid i mi fynd i'r Alban am ddeuddydd, ac fe gostiodd y gofal £400. Roedd hynny'n ôl yn 2016.

Dim ond pythefnos cyn iddo farw fe gawson gynnig 36 awr yr wythnos – hynny yw, diwrnod a hanner yr wythnos! Yn ôl profiad Mrs A, dyw pethau ddim wedi gwella. Fel mae hi'n dweud, "Rhowch e/hi mewn cartre" yw'r ateb syml. Gwn nad oes gan lawer ddewis, ond yn achos David a mwyafrif y bobl sydd â dementia, yn eu cartref, yn y gymuned y dymunant fod. Ac os ydi mantra'n llywodraeth ni yma yng Nghymru, "gofal yn canolbwyntio ar y person", yn golygu unrhyw beth, mae angen chwyldro o ran y gwasanaethau gofal yn y gymuned.

Dwi'n sgrifennu hwn wrth i Boris Johnson gyhoeddi ei gynlluniau ar gyfer gofal cymdeithasol. Yn sicr, dy'n nhw ddim yn chwyldroadol.

COFIWCH – NID PAWB SY'N MYND YN ANGHOFUS

Dr Ceri Gwynfryn Evans

Mae mynd yn anghofus yn digwydd i bawb wrth heneiddio, yn dydy?!

Mae problemau gyda'r cof yn mynd yn fwy cyffredin wrth i bobl heneiddio ond dydy hyn ddim yn anochel. Mae cyflymder prosesu meddyliol yn tueddu i arafu ond mae profiad a doethineb yn cynyddu ac yn gwneud iawn am effaith yr arafu. Felly, dydy'r ffaith bod rhywun yn heneiddio ddim yn esgus i anwybyddu problemau gyda'r cof, yn enwedig os ydy'r problemau yn cael effaith ar allu'r unigolyn i fynd ati i gyflawni tasgau bywyd bob dydd.

Beth yw dementia a beth yw'r gwahaniaeth rhwng dementia ac Alzheimer's?

Term cyffredinol yw dementia sy'n golygu bod gan unigolyn broblemau gydag elfennau o'i allu meddyliol, sydd wedi gwaethygu dros amser ac sy'n effeithio ar ei allu i ddelio â thasgau cyffredin bywyd. Rydym fel oedolion yn cymryd y gallu i gyflawni tasgau fel gwisgo, molchi, gyrru, siopa, coginio, talu biliau ac ati yn ganiataol, heb feddwl amdanynt o gwbl. Ond yn anffodus mae dementia yn y pen draw yn effeithio ar holl elfennau bywyd, ac yn aml yn gallu effeithio ar ymddygiad a hwyliau unigolyn.

Mae dementia yn effeithio ar y cof. Y cof ar gyfer digwyddiadau diweddar sydd fel arfer yn cael ei effeithio gyntaf (cof tymor byr). Ond wrth i'r cyflwr waethygu mae'r cof semantig (cof ar gyfer ffeithiau sylfaenol fel enwau gwrthrychau, ystyr geiriau, gwybodaeth bob dydd) a'r cof gweithredol (sut mae cyflawni tasgau cymhleth fel gyrru car neu baratoi pryd bwyd) yn cael eu heffeithio. Y dirywiad yma sy'n effeithio ar allu unigolyn i fyw gyda hunanreolaeth ac annibyniaeth yn y ffordd y mae wedi arfer â hi.

Gall gwahanol broblemau achosi methiant y galon (afiechyd rhydwelïau'r galon, pwysau gwaed uchel, problemau gyda falfiau'r galon ayyb). Yn yr un modd, gall nifer o wahanol glefydau neu brosesau patholegol yn yr ymennydd achosi dementia (neu fethiant yr ymennydd). Clefyd Alzheimer yw'r cyflwr mwyaf cyffredin sy'n achosi dementia ond gall problemau gyda chylchrediad yr ymennydd hefyd achosi'r cyflwr (dementia fasgwlaidd). Yn aml gwelir cymysgedd o glefyd Alzheimer a phroblemau fasgwlaidd (dementia cymysg). Mae cyflwr o'r enw dementia gyda chyrff Lewy (Lewy body dementia) sydd ag elfennau tebyg i glefyd Parkinson. Llai cyffredin yw dementia blaenarleisiol (frontotemporal dementia) sy'n tueddu i achosi problemau gydag ymddygiad a newid personoliaeth.

Beth yw'r broses o gael asesiad y cof?

Mae gan bob bwrdd iechyd yng Nghymru wasanaeth sy'n darparu asesiadau'r cof. Mae'r gwasanaeth yn cynnwys doctoriaid, nyrsys, therapydd galwedigaethol a seicolegydd. Y cam cyntaf fel arfer yw bod yr unigolyn yn mynd i weld y meddyg teulu er mwyn cael archwiliad iechyd cyffredinol. Fel arfer bydd y meddyg teulu yn trefnu profion gwaed i sicrhau bod dim problem fel anaemia neu gyflwr thyroid a all weithiau achosi problemau gyda'r cof. Yn aml, bydd y meddyg teulu hefyd yn archebu sgan CT o'r ymennydd fel bod y canlyniadau ar gael erbyn yr apwyntiad cyntaf gyda thîm y cof.

Does dim un prawf unigol ar gyfer dementia. Rhaid defnyddio sawl ffynhonnell wahanol o wybodaeth glinigol. Mae'r asesiad gyda thîm y cof yn cynnwys trafod hanes y broblem a hefyd gefndir meddygol yr unigolyn. Mae'n hollbwysig cael hanes y broblem o bersbectif rhywun sy'n nabod yr unigolyn yn dda neu yn ei weld yn gyson (partner neu aelod arall o'r teulu), oherwydd gall yr unigolyn fod yn

17

ddiarwybod ynglŷn â rhai o'r problemau neu â thueddiad i fychanu'r broblem.

Bydd yr unigolyn hefyd yn gorfod cyflawni asesiad gwybyddol – ceisio ymateb i nifer o gwestiynau a phrofion sydd wedi'u cynllunio i asesu'r cof, gallu ieithyddol, gallu i brosesu gwybodaeth weledol ayyb. Arholiad Gwybyddol Addenbrooke (Addenbrooke's Cognitive Examination) yw un o'r asesiadau sydd wedi ei ddilysu ar gyfer y pwrpas hwn. Mae'n bosib ei lawrlwytho am ddim o'r we.

Gall sgan CT o'r ymennydd gynnig gwybodaeth ddefnyddiol am yr hyn sy'n achosi'r problemau gyda'r cof. Os ydy rhan o'r ymennydd o'r enw'r *hippocampus* wedi gwywo, gall hyn fod yn arwydd o glefyd Alzheimer. Os ydy'r sgan yn dangos rhannau o'r ymennydd sydd wedi dirywio oherwydd diffyg cylchrediad, gall hyn fod yn arwydd o ddementia fasgwlaidd. Ond rhaid cofio y gall sgan ymddangos yn gwbl normal, er bod problemau gwybyddol dwys gan unigolyn. Ac ar y llaw arall, nid yw gwywo yn llabedau'r ymennydd, neu niwed fasgwlaidd, wastad yn achosi dementia. Hynny yw, gall yr ymennydd ymddangos yn annormal ar sgan ond dyw hynny ddim yn golygu bod unrhyw effaith ar yr unigolyn. Dyna pam bod rhaid ystyried pob elfen o'r asesiad.

Mae penderfynu a oes digon o dystiolaeth i gadarnhau diagnosis o ddementia fel cwblhau jig-so. Y cam cyntaf yw penderfynu ydy'r meini prawf cyffredinol ar gyfer dementia wedi eu bodloni: oes tystiolaeth wrthrychol fod dirywiad gwybyddol yn bresennol sydd wedi gwaethygu dros o leia chwe mis; ac oes dirywiad yn y gallu i ymdopi â thasgau bywyd bob dydd. Unwaith mae diagnosis cyffredinol wedi ei wneud, rhaid mynd ati wedyn i weld a oes arwyddion sy'n dynodi'r achos. Mae problemau gyda'r cof a hefyd y lleferydd, yn ogystal â gwywo'r *hippocampus*, yn cynyddu'r tebygrwydd mai clefyd Alzheimer yw'r achos.

Os nad yw'r diagnosis yn glir, weithiau bydd angen sganiau mwy manwl fel MRI neu SPECT i gadarnhau'r diagnosis, neu wneud profion niwro-seicolegol mwy manwl gan seicolegydd. Mae profion newydd ar gael, fel sgan amyloid, sy'n mesur faint o'r protin afiach amyloid sy'n bresennol, sydd yn cael ei ystyried yn arwydd o glefyd Alzheimer. Mae hefyd brawf gwaed ar y gweill ar gyfer y protin *tau*. Yn anffodus, dyw'r profion yma ddim ar gael y tu fas i adrannau ymchwil mawr ar hyn o bryd.

Fydda i'n dal i gael gyrru os ydw i wedi cael diagnosis o ddementia?

Mae'n ddyletswydd ar unrhyw un sydd â thrwydded yrru ddatgan i'r Asiantaeth Trwyddedu Gyrwyr a Cherbydau (DVLA) os ydynt yn datblygu cyflwr a allai o bosib effeithio ar eu gallu i yrru. Mae hyn yn wir hefyd am yswiriant car. Mae'r DVLA yna'n cysylltu â'r doctor sy'n trin y claf ac yn gofyn iddo lenwi holiadur gydag unrhyw wybodaeth am y cyflwr. Mae'r DVLA yn awyddus i sicrhau bod pobl sydd â dementia yn rhydd i yrru cyn belled â'u bod yn ymddangos eu bod yn gyrru'n ddiogel. Os oes unrhyw ansicrwydd, mae'n bosib cael asesiad gyrru arbennig trwy Wasanaeth Asesu Symudedd a Gyrru Cymru (Wales Mobility and Driving Assessment Service).

Oes triniaeth ar gael?

Yn anffodus, does dim modd gwella'r cyflwr. Yn y gorffennol roedd agwedd gwbl negyddol ynglŷn â'r dyfodol unwaith i berson gael diagnosis o ddementia. Ond erbyn hyn mae mwy o bobl yn ymwybodol fod triniaethau ar gael ar ffurf meddyginiaeth a hefyd gymorth seicolegol a chymdeithasol. Mae'n bwysig cadw persbectif eang a meddwl yn nhermau'r holl bethau all helpu'r unigolyn i fyw bywyd o'r ansawdd gorau posib – byw yn dda gyda dementia.

Mae'r meddyginiaethau sydd ar gael yn helpu drwy effeithio ar y cemegion sydd yn yr ymennydd. O ran egwyddor, mae yna debygrwydd rhyngddynt a'r cyffuriau sy'n trin iselder. Y bwriad yw arafu'r cyflwr a chadw'r unigolyn yn annibynnol cyhyd ag y bo modd.

Mae ymchwil ar y gweill ers blynyddoedd i geisio darganfod cyffur a all gael effaith ar y broses batholegol sydd wrth wraidd clefyd Alzheimer. Ym mis Mehefin 2021 cafodd y cyffur aducanumab (Aduhelm) sêl bendith yr Asiantaeth Gyffuriau Ffederal (Federal Drug Agency) yn UDA. Honnwyd gan Biogen (y cwmni a ddatblygodd y cyffur) mai aducanumab oedd y cyffur cyntaf i altro proses batholegol clefyd Alzheimer. Ond mae'n debyg y bu dadlau ynglŷn ag ansawdd a chryfder y dystiolaeth wyddonol am effeithlonrwydd aducanumab, i'r fath raddau fel bod tri aelod o'r pwyllgor cymeradwyo wedi ymddiswyddo mewn protest. Mae'r Sefydliad Cenedlaethol dros Ragoriaeth mewn Iechyd a Gofal (NICE) – sy'n cynnig argymhellion ynghylch y defnydd o feddyginiaethau a thriniaethau newydd yn y Deyrnas Unedig – yn honni y byddant yn cyhoeddi eu hasesiad ynglŷn ag aducanumab ym mis Mai 2022. Felly, er ei bod yn gyffrous meddwl bod meddyginiaethau newydd ar y gweill, mae'n bwysig sicrhau nad ydyn ni'n rhoi gobaith gwag i'r sawl sy'n dioddef gyda'r cyflwr.

Gall therapi ysgogi gwybyddol (cognitive stimulation therapy) hefyd fod o gymorth. Mae'n cynnwys nifer o weithgareddau sydd wedi eu cynllunio yn arbennig er mwyn ysgogi'r ymennydd. Mae'r therapi yn digwydd mewn grŵp, sydd yn elfen gymdeithasol bwysig.

Mae cymorth ar gael hefyd i deuluoedd a phartneriaid. Mae gan bob tîm cof gynghorydd gofal dementia all helpu i esbonio'r cyflwr a chynghori a rhannu technegau ar gyfer rheoli a delio â rhai o'r symptomau a'r elfennau all fod fwyaf anodd, fel newid mewn ymddygiad a phersonoliaeth.

Gall y gwasanaethau cymdeithasol drefnu asesiad

anghenion a thrafod opsiynau o ran cymorth gyda gofal, gan gynnwys gofal seibiant. Elfen arall bwysig o'r ochr gymdeithasol yw meddwl am drefnu atwrneiaeth arhosol (lasting power of attorney) ar gyfer materion ariannol a materion iechyd a gofal.

Oes modd lleihau'r risg o ddatblygu dementia?

Y sialens fan hyn yw dod o hyd i ffactorau risg y mae modd dylanwadu arnyn nhw yn uniongyrchol. Ar hyn o bryd mae'r dystiolaeth wyddonol gryfaf yn dangos mai lleihau ffactorau risg fasgwlaidd sy'n debygol o leihau'r risg o ddatblygu dementia. Hynny yw, bod yr hyn sy'n hybu iechyd y galon hefyd yn hybu iechyd yr ymennydd. Bydd y camau yma'n gyfarwydd iawn i bawb – bwyta'n iach, gwneud ymarfer corff yn rheolaidd, peidio goryfed (ac felly cadw'ch pwysau o fewn amdrediad iach) a pheidio ysmygu.

Mae'r camau hyn yn lleihau'r risg o ddatblygu pwysau gwaed a cholesterol uchel. Os ydych chi'n datblygu pwysau gwaed neu golesterol uchel, mae sicrhau bod hyn yn cael ei drin yn ofalus yn bwysig er mwyn lleihau'r risg. Yn yr un modd, os ydych chi'n dioddef o'r clefyd siwgr (diabetes) rhaid sicrhau ei fod yn cael ei reoli'n dda.

BRWYDRO A BRWYDRO

Mrs A

All neb ddeall yn iawn beth yw dementia oni bai fod ganddynt brofiad personol o'r afiechyd dieflig hwn. Rhaid eich bod wedi byw gyda'r afiechyd i ddeall sut mae'n araf ladd meddwl a phersonoliaeth y person anffodus sy'n dioddef ohono.

Cafodd A ddiagnosis o ddementia gyda chyrff Lewy (Lewy body dementia) 'nôl yn 2015. Doedd pethau ddim wedi bod yn iawn am flynyddoedd cyn hynny. Am bymtheg i ugain mlynedd roedd ei hwyliau yn wamal iawn. Gallai fynd allan drwy'r drws mewn hwyliau da a dod 'nôl mewn hanner awr â'i hwyliau yn erchyll. Gallem deithio am dair awr yn y car ac ni fyddai'n dweud gair yn ystod yr holl daith. Tua thair blynedd cyn y diagnosis dechreuodd A gael pyliau ganol nos pan oedd yn neidio allan o'r gwely â phoenau yn ei frest yn gweiddi am ambiwlans a help. Aeth ambiwlans ag ef i'r ysbyty nifer o weithiau ond doedd y doctoriaid ddim yn gallu gweld dim o'i le o gwbwl. Ryw flwyddyn cyn y diagnosis roedd hi'n amlwg i fi mai problem niwrolegol oedd gan A, nid problem 'gorfforol'.

Sut mae'r dementia gyda chyrff Lewy wedi effeithio ar fy ngŵr erbyn hyn, bron i chwe blynedd ar ôl y diagnosis?

* Nid yw'n ein hadnabod ni fel teulu bach ac mae'n siarad Saesneg yn amlach na pheidio gyda ni, er mai teulu Cymraeg ein hiaith ydyn ni. Yr eironi yw ein bod wedi bod yn brwydro yn ystod y chwe blynedd i gael gwasanaethau Cymraeg.

* Ychydig iawn o'i leferydd a ddeallwn. Ffordd syml o ddisgrifio'i leferydd yw fel rhywun sy'n gyfan gwbwl feddw.

* Yn weddol gyson mae'n rhegi ac yn bygwth y bobol agosaf ato. Gall ddefnyddio'i ddwrn i'n taro ac mae hyn i gyd mor wahanol i gymeriad addfwyn y dyn iach. Fel arfer, mae'n ymateb fel hyn pan nad yw'n deall beth sy'n digwydd ac mae ofn arno, ond ni all gyfleu'r ofn hwnnw i ni. Mae ei ofnau yntau'n wahanol i'n hofnau ni, fel mae ei realiti yntau'n wahanol i'n realiti ni. Dyw e ddim yn gweld perygl. Wrth i mi ysgrifennu hwn mae'n gwneud ei orau i ddringo ar ben amrywiol bethau, p'un a ydy'r rheiny'n gallu dal ei bwysau ai peidio. Wrth drio ei dynnu i lawr o ben daliwr poteli gwin mae e'n cael ofn achos dyw e'n gweld dim byd o'i le gyda'r hyn mae'n ei wneud. Felly mae'n taflu ei benelin am yn ôl ac mae honno'n gwneud dolur pan fyddwch yn derbyn yr ergyd.

- Gall mynd ag e i'r tŷ bach fod yn eithriadol o anodd achos dyw e ddim yn deall beth yw tŷ bach na beth sydd angen iddo'i wneud. I gael bywyd haws, byddai'n hawdd peidio mynd ag e o gwbwl, ond rwy'n benderfynol o frwydro gyda hyn er mwyn ceisio cynnal ei hunan-barch. Mae 'damweiniau' yn digwydd yn gyson ac mae'r sefyllfa honno'n anodd pan nad oes help ar gael. Mae'n waith anodd iawn i un person, achos erbyn hynny mae rhywbeth yn ei isymwybod sydd yn ei gynhyrfu'n eithriadol.

- Gall fwyta heb help yn y bore ond i rywun gadw llygad arno, ond wrth i'r dydd fynd yn ei flaen mae angen ei fwydo fwyfwy. Ar ôl tri o'r gloch nid yw'n gweld y bwyd neu nid yw'n deall mai bwyd yw e ac mae'n frwydr wedyn i gael y bwyd i'w geg. Ddoe, wrth i fi fynd â chwpaned o de iddo, rhoddodd ei law yn syth i mewn i'r te gan nad oedd yn gweld y cwpaned fel cwpaned o de i'w yfed. Mae swper am chwech o'r gloch yn un frwydr faith.

- I rywun sy'n dioddef o ddementia gyda chyrff Lewy mae rhithweledigaethau (hallucinations) yn gyffredin iawn. Weithiau fe fydd yn fy nharo yn sydyn, achos yn ei feddwl e, ci neu gath neu fuwch ydw i ac mae e eisiau i'r 'anifail' fynd mas. Gall siarad am sbel â choes y ford achos yn ei feddwl e, plentyn bach sydd yna. Heno roedd rhywun yn gorwedd ar waelod y grisiau yn ei feddwl.

Rwy'n edrych ar ei lygaid yn aml, y llygaid glas a allai fod yn ddireidus iawn pan oedd e'n iach. Does dim byd yn y llygaid bellach. Dim dealltwriaeth, dim adnabyddiaeth, dim ond rhyw olwg bell. Mae'r llygaid yn dangos yn eglur gyflwr y meddwl a'r ymennydd yn gyffredinol.

Dyw e ddim yn medru gwneud unrhyw weithgaredd erbyn hyn, na gwylio'r teledu heblaw am *Dechrau Canu Dechrau Canmol.* Fel arfer fe fydd e'n eistedd, wedi ymlacio'n llwyr, i wrando ar yr emynau. Weithiau fe wnaiff ymdrech fach i ganu gyda'r gynulleidfa. Dyna'r unig raglen sy'n dal ei sylw.

Sut mae A yn treulio'i ddiwrnod yn y tŷ?

Mae'r bore'n weddol dawel fel arfer. Tua 9.30 mae e'n codi ac erbyn iddo gael bath a brecwast mae'n 10.30. Gall eistedd wrth y ford yn dawel wedyn tan amser cinio. Tua dau o'r gloch mae'n dechrau anesmwytho ac yna mae'n cerdded o gwmpas yn wyllt, yn cydio mewn unrhyw beth a'i gario i rywle o gwmpas y tŷ. Gall welington ymddangos ar ganol y ford neu esgid ymddangos wrth y bin bara. Gall cwpaned o de ddiflannu yn sydyn wrth gael ei daflu i'r llawr – y te a'r cwpan weithiau. Unwaith, heb unrhyw rybudd, fe gydiodd yn y cloc oedd yn hongian ar y wal a'i daflu i'r llawr, a'r gwydr yn chwalu'n deilchion.

Bob dydd, mae e ar ei bedwar ar y llawr yn tynnu'r

gwlân allan o'r carped. Cymerodd hi ychydig o amser i ni fel teulu sylweddoli mai chwynnu yn yr ardd mae e'n ei wneud yn ei feddwl ei hun – gwaith roedd e wrth ei fodd yn ei wneud pan oedd yn iach. Pan oedden ni'n ceisio ei rwystro rhag difetha'r carped roedd yn mynd yn grac iawn, achos yn ei feddwl e roedden ni'n ei rwystro rhag gweithio. Rydym wedi dod i ddeall erbyn hyn mai gadael iddo wneud yw'r ffordd orau.

Mae'n cymryd dwy ohonom i'w baratoi ar gyfer y gwely bob nos. Weithiau mae angen tri. Gofynnodd un o'r bobol broffesiynol sy'n galw yma i mi pam oedd eisiau dwy heb sôn am dri i'w roi yn y gwely. Dangosodd hyn yn syth i ni nad oedd y person hwn yn deall y sefyllfa o gwbwl. Mae angen dwy i ddiosg ei ddillad. Does ganddo ddim syniad beth yw ystyr "Cwyd dy fraich" neu "Symud dy droed". Nid yw'n deall beth sy'n digwydd ac felly mae e'n mynd yn ofnus ac yn gwrthod cydweithredu. Rhaid i un ohonon ni ei helpu i gadw ei gydbwysedd a dal ei ddwylo i'w rwystro rhag ein taro, tra bod y llall yn diosg ei ddillad.

Fel arfer mae e'n cysgu'n syth ar ôl mynd i'r gwely. Ar nosweithiau da fe gysgith am oriau a chodi ddwywaith i'r tŷ bach efallai. Ar nosweithiau gwael byddwn yn codi bob awr a hanner drwy'r nos. Mae hyn yn flinedig iawn, yn enwedig pan mae angen yr un gofal drannoeth a phob dydd sy'n dilyn. Os cawn ni ddwy noson wael o'r bron, fe gawn ni o leia ddwy noson dda yn dilyn ei gilydd wedyn, achos ei fod e mor flinedig.

Fel gofalwraig ddi-dâl rwy'n derbyn galwadau ffôn bron yn fisol yn fy holi am gyflwr A a nifer o'r lleisiau diwyneb yn dweud wrtha i, "You're doing really well". Rwy'n casáu clywed sylw mor nawddoglyd. Mae'n rhoi'r argraff i fi eu bod yn meddwl nad oes angen help arnon ni fel teulu achos ein bod yn gwneud yn dda. Y gwir truenus yw nad ydw i na'r teulu yn gwneud yn dda. Yr argraff a gaf i yw ein bod yn cael galwad ffôn pan mae angen ticio bocsys. Rhwng y cyfnodau ticio bocsys hyn cawn ein hanghofio. Dyw hyn ddim yn fai ar neb. Mae diffyg strwythur yn y gofal ac yn aml dyw'r llaw dde ddim yn gwybod beth mae'r llaw chwith yn ei wneud.

Mae'r sefyllfa, a'r prognosis, yn dorcalonnus. Fel teulu rydym gan amlaf yn byw o dan ryw gwmwl mawr ond fe gwyd y cwmwl ryw ychydig nawr ac yn y man. Fe ddaw'r wyrion bach yn gyson i godi fy nghalon i. Diolch amdanyn nhw. Dyw'r A oedd yn arfer bod mor wych gyda phlant bach ddim yn adnabod ei wyrion ei hun bellach. Diolch i ffrindiau sy'n ffonio'n gyson neu yn gweiddi wrth fynd heibio'r tŷ. Diolch i'r teulu agos am y gefnogaeth enfawr, yn enwedig dros gyfnod Covid pan nad oedd y gwasanaethau eraill ar gael. Fyddwn i ddim yn gallu gwneud y gwaith oni bai am y rhain.

Chwe blynedd yn ôl pan gafodd A y profion, y sgan

a'r diagnosis o ddementia gyda chyrff Lewy, ei ymateb ar y ffordd adre oedd "Dyna fy niwedd i". Fy ymateb naïf i oedd y bydden ni'n ymladd hwn gyda'n gilydd. Doedd gen i ddim syniad beth fyddai maint y frwydr.

Chwe mis yn ddiweddarach

Awst 18, 2021

Mae A yn dal i fod gartre ond rwy'n dal i ofyn am faint. Rhaid meddwl am y newidiadau cadarnhaol a ddigwyddodd yn y chwe mis diwethaf. Cafodd y ddau ohonom ddau frechiad ac mewn theori gallwn adael y tŷ nawr a dechrau cymysgu yn ofalus ag eraill, ond fedrwn ni ddim gwneud hynny, oherwydd cyflwr A yn hytrach nag oherwydd ein bod yn ofni Covid. Geilw nyrsys y gymuned yma yn rheolaidd ac yn ystod y tri mis diwethaf maent wedi galw bob wythnos neu bythefnos, wrth i gyflwr A ddirywio. Mae'r nyrs Admiral yn galw ryw unwaith y mis, a'i gwaith hi yw edrych ar ôl y gofalwyr cymaint os nad mwy na'r un sy'n dioddef o ddementia.

Nid yw'r mat larwm wedi cyrraedd oddi wrth y gwasanaethau cymdeithasol ond fe gyrhaeddodd y Safety Beam, sy'n canu'n ddigon uchel i ddihuno'r pentre cyfan. Diolch i Ymddiriedolaeth Potter (Potter Trust) am ddarparu hwnnw i ni.

Gwaethygu mae cyflwr A wrth gwrs. Mae'n mynd yn fwy ansicr ar ei draed. Rydym wedi gorfod cael sedd i'w rhoi yn y bath gan fod dod allan o'r bath wedi mynd yn eithriadol o anodd, am nad yw'r ymennydd yn gallu dweud wrth y coesau beth i'w wneud.

Di-ddal yw'r nosweithiau hefyd. Gallwn fod ar ddihun am ran helaeth o'r nos neu gallwn gysgu drwy'r nos neu, yn amlach nawr, rhaid i ni godi a newid y gwely yn ystod y nos. Ychydig iawn a ddeallwn ar leferydd A erbyn hyn.

Mae'r galwadau ffôn niferus a gawsom gan wahanol fudiadau/cymdeithasau yn ymwneud â dementia wedi lleihau neu bron â dod i ben ers diwedd y cyfnod clo.

Nid yw'r weithwraig gymdeithasol wedi medru ymweld â ni ers deunaw mis a mwy ac mae'r Awdurdod Lleol yn dal i ddweud nad yw'n saff iddi hi a'i chyd-weithwyr ymweld â chartrefi. Rhaid bodloni felly ar alwadau ffôn ac asesiadau dros y ffôn. Does dim strwythur pendant i'r gofal achos does dim digon o ddarpariaeth ar gael. All neb wneud teisen heb y cynhwysion angenrheidiol.

Awst 22, 2021

Y diweddara helbulus nawr yw'r angen am DoLS (Trefniadau Diogelu wrth Amddifadu o Ryddid – Deprivation of Liberty Safeguards). Ry'n ni'n ystyried talu rhwng £150 a £180 y dydd i gwmni preifat i ddod i mewn ar ddau Sadwrn y mis i ysgafnhau cyfrifoldeb y merched, ond nid yw'r cwmni'n fodlon dod cyn i DoLS gael ei wneud achos erbyn tri o'r gloch bydd rhaid iddyn nhw gloi'r drws i rwystro A rhag mynd mas. Does dim hawl gyda nhw i wneud hynny. Mae'r un peth yn wir am roi tabledi iddo. Mae hawl gen i fynnu ei fod yn eu cymryd ond does dim hawl gyda nhw heb y DoLS. Dwi ddim yn credu bod gobaith gyda fi i'w gael e am fisoedd. Rhaid iddyn nhw ddod mas i asesu A yn gynta a phryd fydd hynny, gan nad yw'r Awdurdod Lleol yn ymweld â chartrefi o hyd? £180 neu beidio, mae angen help, yn enwedig dros y penwythnos.

Er 'mod i'n trio tynnu sylw at y sefyllfa does neb wir yn gwrando. Bob tro dwi'n trio cysylltu â rhywun am help nawr, dwi wir yn teimlo 'mod i'n niwsans. Dwi'n ofni nad oes llawer o ddiddordeb ganddyn nhw yn y rhai sy'n dioddef o ddementia, yn enwedig erbyn eu bod yn cyrraedd y man lle mae A. Ie, rhowch nhw mewn cartref ac fe gânt eu cadw'n dawel â thawelyddion. Talwch yn hallt am hynny a stopiwch gwyno am y sefyllfa. Dyna fel mae hi, yn fy marn i!

Awst 29, 2021

Dwi'n dal i ddisgwyl cael help yn y bore a hynny fisoedd ar ôl gofyn am help i roi bath i A dri bore yr wythnos. Mae gofalwraig yma y pedwar bore arall. Dwi wedi gofyn i'r gwasanaethau cymdeithasol am help gan fy mod erbyn hyn yn ei chael yn anodd yn gorfforol i helpu A. Yr ateb dwi wedi'i gael yw nad oes help ar gael i mi. Mae rhywbeth yn mynd i ddigwydd i A neu fi un bore wrth iddo fynd i mewn i'r bath neu wrth iddo ddod mas a sychu. Dwi'n crefu am gymorth ond does neb yn gwrando. Efallai nad oes digon o ofalwyr ar gael erbyn hyn ond dyw'r wybodaeth honno o ddim help i mi o gwbwl wrth i fi frwydro bob bore i gadw A yn lân ac yn daclus.

Wrth i'r misoedd fynd ymlaen ac wrth i'r gaeaf nesáu mae'r amser wedi dod i feddwl o ddifri ydyn ni'n mynd i roi A mewn cartref gofal. Mae fy nghefn a fy ngwddf i'n dioddef erbyn hyn a dwi mewn poen yn gyson. Mae byw mewn poen yn gwneud i ni feddwl am y sefyllfa mewn ffordd wahanol. Wrth ystyried cartrefi gofal daethom wyneb yn wyneb â phenbleth arall. Dywed rhai pobol broffesiynol bod angen cartref nyrsio EMI (Elderly Mentally Infirm) ar A. Does dim cartref o'r fath yn ein sir ni, a rhaid mynd i sir arall i chwilio am ofal. Mae'r math hwn o gartref yn brin iawn. Ceir un ychydig dros hanner awr oddi wrthom a'r llall dros awr i ffwrdd. Rhy bell yn fy marn i ond os nad oes dewis arall does dim i'w wneud. Dywed pobol broffesiynol eraill mai cartref preswyl EMI sydd angen arno yn hytrach na chartref nyrsio EMI. Fyddwn ni ddim yn gwybod pa un sy'n addas iddo tan iddo gael ei asesu a rhaid iddo fynd i mewn i gartref cyn y gellir gwneud hynny. Hyd yn oed os mai cartref preswyl EMI sydd eisiau arno, mae'r dewis yn brin. Ceir un cartref o'r fath yn agos i ni ond does dim lle yno ar hyn o bryd.

Mae sawl peth yn fy ngofidio am roi A mewn cartref gofal, a'r cyfan yn dechrau gyda C – cydwybod, Covid, cost. Dwi ddim yn wahanol i unrhyw un arall sydd â chydwybod euog wrth roi rhywun annwyl mewn cartref gofal. Does dim angen i mi ymhelaethu ar hyn. Mae Covid yn rhywbeth diweddar iawn wrth gwrs. Petai A yn dal Covid mewn cartref gofal allwn i ddim maddau i fy hunan. Mae Covid yn mynd i'n rhwystro ni fel teulu rhag ymweld ag A fel y dymunwn. Digon hawdd i ni ddweud na fydd e'n deall nac yn sylweddoli. Pa hawl sy gyda ni i ddweud peth felly wrth drafod cyflwr mor gymhleth â dementia? Y trydydd C yw'r gost. Ar ôl i mi ymchwilio, mae'r gost yn amrywio rhwng £1,000 a £1,240 yr wythnos. Golyga hynny yn fras £4,000–£5,000 y mis, sydd rhwng £50,000 a £60,000 y flwyddyn. Gan fod cyfrifon ariannol A a fi yn enwau'r ddau ohonom ar y cyd, golyga hyn fod hanner ein cynilion yn mynd i ddiflannu. Unwaith eto dwi'n gweld y gost anferth hon yn anfoesol. Dwi ddim yn dweud am funud y dylai'r gofal fod am ddim, ond dwi'n teimlo bod y gost fel y mae yn ormodol ac mae rhywun yn rhywle yn gwneud elw o anlwc afiechyd pobol eraill. Beth ydyn ni'n mynd i'w wneud? All neb wneud y penderfyniad ond ni. Y trueni mawr yw bod y cymorth mor brin yn ein cartref – cartref A a fi – oherwydd nad oes darpariaeth addas ar gael i bobol fel ni.

Sut hoffwn i i'r ddarpariaeth wella ar gyfer gofal yn y cartref i bobol â dementia?

Y peth pwysicaf yw bod mwy o strwythur i'r gofal. Ar hyn o bryd mae pawb sy'n darparu cymorth yn gweithio'n annibynnol ac yn amlach na pheidio dyw un ddim yn gwybod beth mae'r llall yn ei wneud. Cyn gynted ag y ceir diagnosis, rwy'n credu y dylai un person gael ei glustnodi i'r teulu hwnnw i geisio cydlynu'r ddarpariaeth. Disgwylir i'r teulu wneud hyn i gyd ar hyn o bryd. Alla i ddim dychmygu sut mae pobol tipyn hŷn na ni yn ymdopi gyda chysylltu â hwn a'r llall fel y disgwylir i ni ei wneud.

Byddai'n braf petai nyrsys y gymuned yn galw unwaith y mis o'r dechrau, heb gael galwad i wneud hynny. Byddai cael nyrs dementia ym mhob ardal yn fuddiol.

Mae angen cynnig mwy o gymorth a chefnogaeth am ddim i'r teulu ac mae angen i hynny fod yn gyson o un sir i'r llall yng Nghymru. Dyw hynny ddim yn wir ar hyn o bryd. Mae angen yr un ddarpariaeth trwy Gymru gyfan i sicrhau tegwch.

'Hir yw pob aros' meddai'r ddihareb ond mae'n rhaid aros yn eithriadol o hir am rai pethau. Am dros bedwar mis, bu'n rhaid i mi dalu gofalwraig am ddeuddeng awr yr wythnos o 'mhoced fy hun oherwydd bod y gwaith papur heb ei wneud.

Rydyn ni wedi llwyddo i gael rhywfaint o help, a hynny ar ôl brwydro a brwydro. Mater arall wedyn yw brwydro i gael help trwy gyfrwng y Gymraeg. Diolch byth, fe lwyddon ni yn y diwedd i gael Cymry Cymraeg i ddod i ofalu. Mae'n fwy na siarad Cymraeg. Cyfrwng yn unig yw iaith, ond trwy'r iaith gall pobol siarad ag A am wahanol elfennau o'n diwylliant. Onid yw hyn yn bwysig wrth ystyried anghenion y person sydd â dementia?

Mae'n hen bryd i'r llywodraeth a'r rhai sy'n gofalu am iechyd a gofal cymdeithasol edrych ar ofal yn y cartref. Rwyf wedi cael y cwestiwn droeon, "Pryd ydych chi'n meddwl, Mrs A, y byddwch chi'n ei roi mewn cartref gofal?" Dyna'r ateb syml i'r gwasanaethau achos does dim cymorth digonol gan neb i'w gynnig i ni fel teuluoedd sy'n dymuno gofalu am ein hanwyliaid sydd â dementia yn ein cartrefi. Mae gwir angen strwythur a chymorth ymarferol arnon ni. Rydym yn lleisio ein hanghenion yn glir ond does neb yn gwrando achos dydyn nhw ddim eisiau gwrando.

Y RHOD YN TROI

Rhys ab Owen

Mae gen i gof plentyn o glefyd Alzheimer. Roedd rhieni fy nhad yn dioddef o'r afiechyd ac roedd Mam a Dad, y ddau yn athrawon ar y pryd, yn helpu i ofalu amdanynt yn ystod gwyliau ysgol. Fe orfododd yr afiechyd i Grandpa gau'r fferyllfa roedd e wedi'i rhedeg ar Albany Road yng Nghaerdydd ers chwe degawd. Roedd Grandma yn ei hwythdegau hwyr yn datblygu'r clefyd creulon ac mae cof plentyn gen i ohoni'n siarad am ei thad, a fu farw yn 1914, fel petai'n dal yn fyw.

Bymtheg mlynedd yn ddiweddarach, dyma Alzheimer's yn taro ein teulu unwaith eto – Mam-gu, sef mam fy mam, y tro hwn. Roedd hi hefyd yn grediniol bod ei rhieni'n fyw ac roedd hi'n ysu am gael dychwelyd adref i Danygrisiau lle nad oedd wedi byw ers bron i 70 o flynyddoedd. Mae rhai pobl ag Alzheimer's yn mynd yn ôl i fyw yn y gorffennol rywsut – pan oedd Mam-gu yn yr ysbyty yn Llandochau, roedd yn meddwl ei bod hi'n ôl yn y coleg. Er bod ei meddwl yn blith draphlith, hyd y diwedd roedd yn gallu adrodd cerddi a barddoniaeth o'i chof pe bai rhywun yn adrodd y llinell gyntaf iddi. Dyma un peth sy'n parhau i fy rhyfeddu am yr afiechyd – fyddai Mam-gu ddim yn gallu dweud beth oedd hi newydd fwyta i ginio ond roedd hi'n gallu cofio pethau o'r gorffennol yn hawdd, ac roedd ei daliadau gwleidyddol a chrefyddol mor gryf ag erioed.

Yn ystod blynyddoedd ola fy mam-gu, daeth yn amlwg bod pethau ddim yn iawn gyda chof Dad chwaith. Efallai gan fod Mam-gu yn dioddef o'r un salwch, fe sylwon ni yn gynnar bod angen i Dad fynd i'r clinig meddwl – roedd yn ei chael yn anodd dilyn sgyrsiau weithiau ac yn gallu anghofio enwau neu'r ffordd i rywle cyfarwydd. Er ei fod yn gymeriad cryf a oedd cyn hyn wedi bod yn lwcus gyda'i iechyd, fe aeth o'i wirfodd i'r clinig.

Daeth y llythyr yn cadarnhau'r diagnosis ym mis Mawrth 2013. Rwy'n cofio arswydo wrth feddwl beth oedd o'i flaen e, ac o'n blaenau ni. Er fy mod yn gyfarwydd ag Alzheimer's o fewn y teulu, roedd diagnosis Dad yn wahanol iawn rywsut. Mwya sydyn, roeddwn yn ymwybodol y byddwn yn y dyfodol agos yn profi rhyw fath o newid rôl annaturiol – y byddai'n rhaid i mi helpu i ofalu am y person oedd wastad wedi gofalu amdana i. Er nad oedd gen i unrhyw syniad pa mor gyflym fyddai ei symptomau'n gwaethygu, rwy'n cofio teimlo tristwch enfawr bod gan fy nhad salwch a fyddai'n golygu colli ei annibyniaeth – rhywbeth rydym yn aml yn ei gymryd yn ganiataol. Gwyddwn y byddai'n newid ein bywyd fel teulu.

Yn ddiweddarach fe gafodd chwaer hŷn Dad ddiagnosis o Alzheimer's hefyd. Roedd y ddau'n agos iawn, a thristwch mawr iddo oedd gweld ei dirywiad sydyn. Dyw Dad erioed wedi cwyno am ei sefyllfa, mae wedi bod yn gymeriad positif erioed ac rwy wastad wedi edmygu ei allu i fod yn optimistaidd. Cofiaf eistedd gydag e ar fainc ym Mharc y Rhath wrth iddo edrych ar ganlyniadau etholiad cyffredinol 1997, ac yntau'n llawenhau wrth sylweddoli bod Plaid Cymru wedi cadw ei hernes mewn ychydig dros hanner y seddi.

Yn rhyfedd, dau beth pwysig yn ei fywyd aeth yn gyntaf yn sgil y salwch. Roedd Dad yn hoff iawn o fathemateg a ffigurau. Byddai'n pori am oriau trwy gofnodion y cyfrifiad a chanlyniadau etholiadau. Roedd yn deall ac yn gallu esbonio systemau etholiadol cymhleth. Ar ddiwrnod canlyniadau etholiad cyntaf y Cynulliad yn 1999, roedd yn gallu dangos ei fod wedi ennill sedd ranbarthol ymhell cyn y canlyniad swyddogol. Ond fe ddiflannodd ei afael ar fathemateg a ffigurau yn gyflym ac roedd hyn yn amlwg yn achos rhwystredigaeth iddo.

Cariad mawr Dad oedd Cymru a'r iaith Gymraeg. Yn ei olwg e, roedd y ddau beth yn mynd law yn llaw ac yn anwahanadwy. Dysgwr oedd Dad a oedd wedi syrthio mewn cariad â'r iaith yn ei ugeiniau a dod yn ymgyrchydd brwd drosti. Roedd yn ddraenen yn ystlys awdurdodau lleol wrth iddo frwydro i agor ysgolion newydd a sicrhau bod plant o gartrefi di-Gymraeg yn gallu mynychu'r ysgolion hynny. Wedi siom refferendwm 1979, fe oedd prif sylfaenydd Clwb Ifor Bach er mwyn creu canolfan yng nghanol y brifddinas i bobl ifanc gymdeithasu yn Gymraeg. Wrth i'r salwch ddatblygu fe ddirywiodd ei allu yn y Gymraeg – mae pobl ag Alzheimer's yn aml yn dychwelyd at eu hiaith gyntaf. Ond nid oedd unrhyw ddirywiad yn ei angerdd drosti – yr un fath â Mam-gu mae daliadau Dad yn dal yn gryf. Gwell peidio ailadrodd be ddywedodd e wrtha i yn ddiweddar wrth i fi ddangos llun o wleidydd amlwg o'r Blaid Lafur a oedd yn ymgyrchydd brwd yn erbyn datganoli yn y saithdegau! Yn lle gadael i golli iaith ei rwystro, fe wnaeth Dad addasu. Trodd iaith y llyfr roedd yn ei ysgrifennu am hanes y Gymraeg yng Nghaerdydd i'r Saesneg, gan ymfalchïo y byddai modd chwalu'r myth ymysg y di-Gymraeg hefyd mai tref Seisnig/Saesneg oedd Caerdydd.

Nid yw diagnosis o Alzheimer's yn golygu bod bywyd 'normal' yn dod i ben yn llwyr. Yn wir, rydym wedi cael sawl profiad hyfryd yn ystod ei salwch, gan gynnwys gwyliau a phrydau bwyd mas, ac wedi chwerthin droeon gyda'n gilydd dros beint o *shandy*. Ond wrth gwrs, nid yw pethau wedi bod yn fêl i gyd – mae 'na nifer o brofiadau heriol ac anodd fyddech chi byth eisiau eu profi.

Roeddem fel teulu yn cymryd ein tro i ofalu am Dad er mwyn rhoi ambell i noson o hoe i Mam. Rhaid oedd cysgu gydag un llygad ar agor a chlustiau parod oherwydd doedd Dad – a dyw e ddim o hyd – ddim yn hoffi segura a byddai yn aml yn mynd ar grwydr. Yn y diwedd roedd rhaid cuddio allwedd y drws ffrynt. Ar y nosweithiau yma roedd y newid rôl rhwng rhiant a phlentyn yn fwyaf amlwg – doedd dim wedi fy mharatoi i ar gyfer helpu Dad i wisgo a mynd i'r tŷ bach. Wrth orwedd yn effro yn fy hen ystafell wely, byddwn yn aml yn meddwl am y nosweithiau di-gwsg gafodd Dad pan oedden ni'n ein harddegau yn aros i ni gyrraedd adref ar ôl noson mas. Mae'n rhyfedd sut mae'r rhod yn troi. Ddim yn ystod y nos yn unig roedd Dad yn hoffi mynd ar grwydr. Cafwyd ambell brofiad pan oedd wedi llwyddo i grwydro'n bellach na'r ardd flaen. Fe gerddodd o Ben-y-lan i'r Bae unwaith, ac i Dreganna dro arall. Byddai'n mynd i lefydd cyfarwydd bob tro ac yn dychwelyd adref yn ddiogel – hyd yn oed os oedd hynny gyda chymorth yr heddlu. Ond yn yr awr neu ddwy brin hynny, pan nad oedd neb yn gwybod ble oedd e, roedd hi'n anodd weithiau peidio meddwl am y gwaethaf.

Dechrau 2019 oedd y cyfnod mwyaf heriol, pan fu'n rhaid i ni wneud penderfyniad anoddaf ein bywydau a symud Dad i gartref er mwyn ei ddiogelwch ei hun. Roedd hi'n hawdd dewis cartref, sef yr un lle bu Mam-gu a lle roedd chwaer Dad yn barod, ac felly roeddem yn adnabod y staff yn dda ac yn edmygu eu gofal am y preswylwyr. Ond roedd yn arwydd hefyd o ddiwedd cyfnod. Fe chwalodd y bennod newydd yma gymaint o'r hyn oedd yn gyfarwydd yn fy mywyd. Er bod y tŷ lle cefais fy magu yn edrych yn union yr un fath, nid oedd yn gartref mwyach. Atgof bellach oedd y ciniawau dydd Sul hir, y digwyddiadau codi arian i'r Blaid a'r dathliadau Nadolig a fyddai'n para tan oriau mân y bore wrth ddawnsio i gerddoriaeth y 1950au.

Er bod Dad yn dal yn fyw, fe ddechreuais alaru am y berthynas oedd gennym ni cyn ei salwch, a'r hyn a allai fod wedi bod pe na bai'n sâl – y pethau fyddai'r ddau ohonom yn colli mas arnyn nhw. Byddwn i'n gwneud unrhyw beth i allu cael cyngor Dad ynghylch fy ngwaith gyda'r cyfansoddiad, sefyll etholiad a chael fy ethol i'r Senedd, ac am sgwrs am ddod yn dad fy hunan. Dyma realiti ofnadwy Alzheimer's – galaru am rywun sy'n dal yn fyw, wrth i'r afiechyd ddwyn y person roeddech chi'n ei adnabod. Rwy'n teimlo galar dros Dad hefyd – ei fod wedi colli nifer o'i atgofion a hefyd yn colli mas ar greu rhai newydd.

Un peth oedd yn rhoi cysur mawr oedd yr ymweliadau rheolaidd – boed hynny'n ymweld â'r cartref neu ddod â Dad allan aton ni. Ond daeth hynny i stop sydyn ganol mis Mawrth 2020, sy'n dod â fi at ail her anoddaf salwch Dad, sef Covid-19. Roedd y cyfnod cynnar pan oedd Covid yn rhemp yn y cartrefi oherwydd diffyg profi a PPE yn ofnadwy. Am fy mod yn ofni y byddai'r cartref yn cau, rhuthrais yno ar ôl gorffen yn y llys er mwyn gallu gweld Dad. Pan gyrhaeddais roedd Suzy, sy'n gweithio yn y dderbynfa, yn ei dagrau – roedd y cartref wedi cau i ymwelwyr ugain munud cyn i mi gyrraedd. Doedd wybod pryd fydden ni'n gweld Dad nesaf. Er bod y rhan fwyaf o bobl yn methu gweld anwyliaid yn ystod y cyfnod clo, roedd methu gweld Dad yn anoddach rywsut. Gan ei fod mewn sefyllfa fregus iawn yn y cartref gyda'r diffyg profi a PPE, roeddem yn poeni amdano yn ofnadwy.

Wrth i'r wythnosau a'r misoedd fynd heibio, roeddwn yn poeni a fyddai bellach yn fy adnabod. Yn anffodus, dyw Dad ddim yn gallu defnyddio'r cyfryngau rwy'n eu defnyddio gyda ffrindiau a gweddill y teulu i gadw mewn cysylltiad – dyw e ddim yn gallu sgwrsio dros y ffôn neu'r we. Roedd y cyfnodau byr pan oedd modd ymweld yn anodd hefyd, oherwydd roedd rhaid gwisgo mwgwd a chadw pellter cymdeithasol. Dyw hyn ddim yn gweithio i bobl sydd ag Alzheimer's – sut ydych chi'n esbonio bod rhaid cuddio eich wyneb ac nad oes hawl cyffwrdd?

Ar ddiwrnod pen-blwydd Dad yn 81, fe ddaeth fy merch, Esther Sian Rhys, i'r byd. Am ddeg mis cynta'i bywyd dim ond o bellter roedd Dad wedi gweld ei wyres. Profiad hyfryd iawn oedd y diwrnod hwnnw pan oedd modd iddo ei chofleidio ac i ni dynnu llun o'r ddau gyda'i gilydd. Roedd y wên ar ei wyneb a'i lygaid yn pefrio yn adrodd cyfrolau.

Mae 'salwch terfynol' yn derm sy'n fy arswydo bob dydd. Gwn nad oes gwella i Dad, ac mai gwaethygu fydd pethau. Dyna pam mae mor bwysig sicrhau bod pobl sy'n byw ag Alzheimer's yn cael cyswllt ystyrlon â'u hanwyliaid – mae amser mor werthfawr. Fy ofn mwyaf yw mynd i weld Dad ac yntau ddim yn fy adnabod. Mae'n anodd iawn dychmygu gorfod esbonio i'ch tad eich hunan pwy ydych chi. Y gwirionedd yw, mae gen i ofn yr afiechyd. Mae gen i ofn y cyfnod neu'r cam nesaf – beth fydd ei effaith ar ansawdd a hyd bywyd Dad? Beth mae person sy'n byw ag Alzheimer's yn ei deimlo wrth i'r afiechyd ladd celloedd yr ymennydd yn araf bach? Mae'n rhaid ei fod e'n frawychus, yn ddryslyd ac yn rhwystredig. Mae'n anodd dychmygu, ond mae'n debyg mai Alzheimer's yw'r cyflwr iechyd mae pobl yn ei ofni fwyaf yn y Deyrnas Unedig.

Wrth i chi gymharu gofal Alzheimer's â nifer o glefydau eraill mae'n syrthio'n brin iawn. Mae llywodraethau ar hyd y blynyddoedd wedi anwybyddu'r argyfwng cynyddol ac yn pwyso fwyfwy ar ofalwyr gwirfoddol neu ofalwyr sy'n ennill cyflog pitw. Mae'n rhaid buddsoddi mwy i ymchwilio i'r clefyd. Mae brechlynnau Covid-19 yn dangos beth sy'n bosib ei gyflawni pan fo llywodraethau a chwmnïau fferyllol yn cydweithio. Mae angen hefyd ddangos cefnogaeth ymarferol i'r unigolion a'u teuluoedd. Roedden ni yn ffodus bod gennym deulu mawr ond mae nifer yn gorfod wynebu hyn ar ben eu hunain.

Profiad emosiynol iawn oedd dilyn yn ôl troed fy nhad a chael fy ethol i Senedd Cymru. Byddai'r dagrau yn dod yn aml wrth gerdded y coridorau ac eistedd yn fy swyddfa sydd ddau ddrws i lawr o'i hen swyddfa. Fe frwydrodd Dad yn galed dros Senedd i Gymru ac roedd yn hynod falch o weld y Cynulliad yn datblygu i fod yn Senedd go iawn. Un o'r cyfarfodydd cyntaf ges i oedd gyda Chymdeithas Alzheimer's, ac roeddwn yn barod iawn i dderbyn cadeiryddiaeth y grŵp trawsbleidiol ar Alzheimer's. Yn fy nhymor cyntaf dwi wedi herio Llywodraeth Cymru ar sawl achlysur i beidio aros i Lywodraeth San Steffan weithredu, ond i fynd ati i sefydlu Gwasanaeth Gofal Cymdeithasol Cenedlaethol. Syniad yn deillio o Gymru oedd y Gwasanaeth Iechyd Gwladol. Fe'i sefydlwyd mewn cyfnod heriol, pan oedd Prydain mewn dyled ddifrifol ac roedd gwrthwynebiad cryf oddi wrth y Blaid Geidwadol. Mae angen i Gymru arwain unwaith eto trwy greu gwasanaeth cenedlaethol sy'n rhoi triniaeth deg i bobl sy'n dioddef o afiechydon fel Alzheimer's a'u gofalwyr. Mae gwledydd fel Denmarc yn dangos yr hyn sy'n bosib.

Dyma salwch creulon, a brysied y dydd y daw yna feddyginiaethau effeithiol. Ond tan y dydd hwnnw, mae'n rhaid i ni sicrhau pob cyfle i bobl fyw bywyd mor llawn â phosib a chynnig cymorth digonol i ofalwyr.

DIM OND YMWELD

Yr Athro Bob Woods

Rydw i wedi gweld llawer o gynnydd mewn gofal dementia dros y 50 mlynedd diwethaf. Er mai dim ond yn yr unfed ganrif ar hugain y mae dementia wedi dod i'r amlwg yn ymwybod y cyhoedd ac yn y cyfryngau, mae'r teulu hwn o afiechydon wedi bod yn her i gymdeithas am amser maith cyn hyn.

Pan ddechreuais weithio ym maes gofal dementia fel seicolegydd clinigol yng nghanol y 1970au, roedd yr opsiynau yn brin iawn ac yn aml yn annymunol pe na bai person â dementia yn ymdopi â byw gartref yn saff, fel arfer gyda chymorth teulu oedd yn rhoi gofal. Roedd ychydig o gartrefi preswyl, oedd yn cael eu rhedeg gan gynghorau sir, yn gallu derbyn pobl oedd yn byw gyda dementia ond a oedd â chymharol ychydig o anghenion o ran gofal. Ar gyfer problemau mwy difrifol, byddai'r Gwasanaeth Iechyd Gwladol yn darparu gwlâu mewn wardiau arhosiad hir, o fewn ysbytai seiciatrig a geriatrig, gydag ysbytai geriatrig yn gyffredinol yn darparu ar gyfer y rhai nad oedden nhw'n gallu symud. Roedd y wardiau seiciatrig fel arfer wedi'u lleoli mewn cyn-ysbytai meddwl Fictoraidd, y 'seilam', tra bo'r wardiau geriatrig fel arfer mewn adeiladau a oedd, cyn 1948 a dyfodiad y GIG, yn gwasanaethu fel wyrcws lleol. Roedd y wardiau'n fawr fel rheol, ac yn cynnwys ystafelloedd cysgu oedd yn cael eu rhannu, ac ychydig iawn o eiddo neu ddillad personol oedd gan gleifion, os o gwbl. Doedd dim preifatrwydd na gofod personol, ar wahân efallai i gwpwrdd wrth ochr y gwely. Roedd y genhedlaeth o bobl hŷn a anfonwyd i'r sefydliadau hyn wedi tyfu i fyny yn eu hofni, ac yn ofni'r stigma oedd yn gysylltiedig â hwy. I wneud pethau'n waeth, byddai'r 'seilam' yn aml wedi'i leoli ychydig bellter oddi wrth y gymuned, gan wneud ymweliadau gan y teulu'n anodd iawn.

Erbyn canol yr 1980au roedd nifer o'r sefydliadau hyn yn cael eu gadael i grebachu cyn iddynt gael eu cau'n gyfan gwbl, a daethpwyd i adnabod yr angen posib am gael cartrefi nyrsio o fewn y gymuned, a'r rheiny'n cael eu rhedeg gan sefydliadau elusennol neu gan gwmnïau preifat, er mwyn cynnig opsiynau eraill yn ogystal â gofal GIG. Ar y pryd, roeddwn i'n gweithio yn ne Llundain, ac roedd ein huned asesu dementia GIG yn aml yn anfon pobl oedd â dementia dwys i hen seilam sawl milltir − a thaith bws − i ffwrdd. Roedd y ffaith bod cynlluniau ar y gweill i gau'r ysbyty yn golygu y gallem ni gynllunio i sefydlu nifer o gartrefi nyrsio bychain o fewn y cymunedau lleol, gan weithio ar y cyd â sefydliadau elusennol. Yma, byddai gan breswylwyr eu hystafelloedd gwely eu hunain, lle ar gyfer eu heiddo a'u dodrefn eu hunain a mynediad i ystod o weithgareddau, cyfleusterau cymunedol a gofod diogel y tu allan. Pan oeddwn i'n cyfweld ag aelodau o deulu'r cleifion dementia a oedd wedi'u trosglwyddo i'r unedau pwrpasol hyn, cefais fy nharo gan ba mor euog roedd rhai ohonyn nhw'n teimlo am beidio â gallu gofalu am y person yn eu cartref, a hefyd ar ôl i gymar fynd i'r cartref preswyl oedd mor bell, roedd y teimlad o fod mor unig yn eu llethu. Doedd un wraig, er enghraifft, ond yn gallu ymweld â'i gŵr unwaith neu ddwy bob mis a hwythau wedi bod yn briod ers 50 mlynedd.

Roedd y trawsnewidiad yn dilyn y trosglwyddiad yn rhyfeddol i bobl â dementia, ynghyd â'u perthnasau. Roedd y preswylwyr yn fwy bywiog, yn siaradus a gweithgar. Roedd y perthnasau yn rhan gyson o fywyd y cartrefi. Roedd rhai, fel y wraig a grybwyllwyd ynghynt, yn treulio fwy neu lai drwy'r dydd, bob dydd, yn y cartref, wedi ailuno â'u hanwyliaid. Deuai rhai'n arbennig ar gyfer amser bwyd i helpu eu perthnasau i fwyta. Cymerai rhai ddillad y person adref i'w golchi a sicrhau eu bod o hyd wedi gwisgo'n iawn ac yn edrych yn dda. Ymunai eraill â phwyllgor perthnasau'r cartref, gan gynnig awgrymiadau ar gyfer gwella gofal yn y cartref. O gyfweld â'r perthnasau drachefn, cefais fod y teimladau o euogrwydd wedi lleihau gyda'r newid i amgylchedd newydd, mwy cartrefol.

Mae'n anochel nad oedd y trefniadau newydd hyn yn

berffaith, wrth gwrs. Gan fod y perthnasau yn gymaint o bresenoldeb yn y cartrefi gofal erbyn hyn, roedd angen gweithio ar y berthynas rhwng y staff a'r teuluoedd, a datblygu'r cyfathrebu agored. Wrth i'r cyswllt gryfhau gydag amser, roedd y perthnasau'n llawer mwy ymwybodol o wendidau yn safon y gofal a theimlai'r staff eu bod dan y chwyddwydr fwy fyth wrth iddynt frwydro ar adegau drwy'r her o gydbwyso darparu gofal unigol o fewn yr hyn a oedd yn parhau i fod yn drefniant cymunedol.

Mae bod ynghlwm wrth y math yma o ddatblygiad wedi gwneud i mi sylweddoli nad ydy'r straen a'r pwysau a ddisgrifiwyd mor aml gan deuluoedd sy'n rhoi gofal yn eu cartrefi yn diflannu'n sydyn pan mae'r bobl hynny yn cael eu cymryd i gartref gofal neu ysbyty. Efallai fod y ffocws yn wahanol, ond mae'r teimladau o straen a gofid yn aml yn parhau i fod yr un mor gryf. Mae yna nifer o ffactorau ynghlwm wrth hyn: gall teimladau o euogrwydd chwarae rhan – efallai fod addewid wedi ei roi i "beidio byth â rhoi'r person mewn cartref"; gofid am safon y gofal; tensiynau a hyd yn oed anghytuno ag aelodau eraill o'r teulu am y penderfyniad i roi'r person mewn cartref gofal. Mae un math o ofid na all hyd yn oed cartref gofal o'r radd flaenaf gael gwared ohono, sef yr ymdeimlad o golled a galar mae nifer sy'n gofalu yn ei deimlo wrth frwydro i addasu i'r newidiadau sy'n dod wrth i'r dementia ddwysáu – gan gynnwys y newid yn eu perthynas. Yr hyn mae'r cartrefi gofal gorau yn gallu ei wneud, fodd bynnag, yw cydnabod y gall perthnasau fod angen cefnogaeth, clust i wrando neu ysgwydd i grio arni, a bod y swyddogaeth hon yr un mor ddilys a phwysig o safbwynt y tîm gofal cartref ag yw'r gofal dyddiol maent yn ei roi i'w preswylwyr. Mae rhai cartrefi gofal yn cynnig grwpiau cymorth, eraill yn dewis aelod o'r staff i gynnal perthynas ac i gysylltu â'r teulu, ac mewn rhai cartrefi eraill, mae drws y rheolwr wastad ar agor.

Dros y blynyddoedd mae'r diffygion ar ran y GIG o ran darparu dewis arall ar wahân i ofal yn y cartref, yn y gymuned, ar gyfer pobl sy'n byw gyda dementia wedi parhau, ac mae'r cyfrifoldeb dros lenwi'r bwlch hwn wedi bod ar ysgwyddau 'gofal cymdeithasol' a hynny, yn gyffredinol, heb unrhyw gynllunio ymlaen llaw a heb fawr ddim rheolaeth. Mae'r ffaith bod y boblogaeth yn heneiddio wedi arwain at gynnydd yn nifer y bobl sy'n byw gyda dementia, yn enwedig ymhlith y grwpiau hŷn sydd hefyd yn fwy tebygol o brofi cyfyngiadau o safbwynt iechyd corfforol ac o golli cymar, gan wneud derbyn gofal gartref yn llai posibl. Mae llywodraeth ar ôl llywodraeth yn cytuno bod angen rhoi sylw ar frys i ddarparu adnoddau ar gyfer gofal cymdeithasol, ond maent wedi ei chael hi'n anodd gwneud cynnydd o ran ymdopi â'r heriau mae'r sector gofal cymdeithasol yn eu hwynebu. Mae'r heriau hyn yn cynnwys gweithlu nad yw'n cael ei dalu na'i werthfawrogi'n ddigonol, ac mae'n anodd recriwtio rhagor o staff. Ar yr un pryd, mae ein disgwyliadau ynghylch safon y gofal a ddylai fod ar gael yn parhau i godi, wrth i fwy a mwy o 'ohebu cudd' ddenu sylw at ofal sydd heb fod yn cwrdd â safonau cyfoes.

Yng nghyd-destun gofal pobl sy'n byw â dementia, sy'n newid yn gyflym, mae'r dystiolaeth i gefnogi pwysigrwydd y teulu o fewn cartrefi gofal wedi parhau i dyfu. Yn 2008, fe wnes i, ynghyd â fy nghyd-weithwyr John Keady a Diane Seddon, gyhoeddi'r llyfr *Involving Families in Care Homes: a Relationship-centred Approach to Dementia Care* (Jessica Kingsley Publishers, Llundain), yn seiliedig ar ymchwil a wnaed mewn cartrefi gofal yn y Deyrnas Gyfunol, Iwerddon, Sweden a Sbaen. Yn y gyfrol aethom ati i ddisgrifio'r 'triongl gofal dementia'. Mae'r model syml hwn yn pwysleisio mai'r berthynas rhwng staff cartrefi gofal ac aelodau'r teuluoedd sy'n cynnal ac yn cefnogi'r berthynas rhwng staff y cartrefi a'r preswylwyr, yn ogystal â'r berthynas rhwng y teuluoedd a'r preswylwyr. Mae adeiladu ar y berthynas hanfodol hon yn gofyn am gyfathrebu cyson, agored, a'r teimlad o bartneriaeth a chydweithrediad rhwng y staff a'r teuluoedd.

Daeth casgliadau tebyg i'r amlwg yn sgil ein hymchwil diweddar ar ddementia dwys mewn cartrefi gofal yng ngogledd Cymru. Fe wnaethom ddarganfod bod nifer sylweddol o berthnasau yn ymweld â'r cartrefi gofal am sawl awr bob dydd, ac ar ei gorau, roedd y berthynas rhwng y staff gofal a'r perthnasau yn dda, ac roedd yno ymdeimlad o gymuned ac o berthyn.

Yn ein hymchwil, rydym wedi adnabod nifer o ffyrdd y mae perthnasau yn parhau i roi gofal wedi i'w hanwyliaid fynd i gartref gofal. Nid yw hyn yn golygu bod disgwyl i berthnasau ymgymryd â dyletswyddau gofal, na theimlo eu bod dan bwysau i wneud hynny, ond yn hytrach dylid cydnabod y cyfraniad mae nifer o berthnasau yn ei wneud, a'r ffaith bod modd profi bod hynny yn gwneud gwahaniaeth gwirioneddol i'w lles nhw ac i les y rhai sy'n byw mewn cartrefi gofal.

Yn gyntaf, rydym ni wedi gweld perthnasau'n ymgymryd â rôl *arolygwyr gofal*. Gan ymweld yn aml, mae'r teulu mewn sefyllfa dda i sicrhau bod anghenion y person sydd â dementia yn cael eu diwallu, bod y gofal yn benodol yn canolbwyntio ar yr unigolyn, a bod y person yn cael ei drin ag urddas a pharch. Bydd cartref gofal da yn ceisio sicrhau adborth, gan ymateb yn gadarnhaol i'r adborth hwnnw, ac yn creu awyrgylch lle na fydd y perthnasau'n ofni'r goblygiadau i'w hanwyliaid os ydynt yn siarad yn agored. Erbyn hyn mae'r awdurdodau sy'n rheoleiddio'r cartrefi gofal yn ceisio cael adborth rheolaidd gan berthnasau, sydd â rôl bwysig wrth dynnu sylw at ddiffygion yn y gofal.

Yn ail, gall perthnasau weithredu fel *eiriolwyr a dirprwy benderfynwyr*. Bydd ymwneud y teulu o ran cynllunio a gwneud penderfyniadau ynghylch anghenion yn amhrisiadwy, yn arbennig felly pan fo dementia yn amharu'n ddifrifol ar allu'r person i ddeall ac i gyfathrebu. Mae gwybodaeth flaenorol am y person a'i werthoedd, ei ddiddordebau a'r hyn mae ef/hi yn ei ffafrio, yn gallu arwain at benderfyniadau sy'n seiliedig, er enghraifft, ar beth fyddai orau iddo/iddi o ran ymyriadau meddygol a thriniaethau, a delio â gofid a phenderfyniadau ynghylch diwedd oes.

Yn drydydd, mae perthnasau'n aml yn parhau i fod yn *ddarparwyr gofal*. Weithiau gall hyn fod oddi allan i'r cartref gofal, yn gofalu am faterion ariannol, siopa dillad neu eitemau eraill, neu olchi dillad. O fewn y cartref, gall y perthnasau helpu eu hanwyliaid i deimlo'n gartrefol trwy sicrhau bod ganddyn nhw'r pethau sy'n bwysig iddynt o ran eiddo a phethau personol, a hoff ddiodydd a byrbrydau. Gallant helpu'r staff i ddod i adnabod y person fel unigolyn trwy rannu agweddau pwysig am ei hanes, efallai trwy wneud llyfr bywyd â lluniau perthnasol neu greu bocs atgofion, sy'n cynnwys eitemau sy'n amlinellu rhannau allweddol o fywyd y person. I nifer, byddai cael eu hoff gerddoriaeth yn cael ei werthfawrogi. Mae mynychu gweithgareddau o fewn y cartref a mynd ar dripiau o'r cartref hefyd yn adlewyrchu'r bartneriaeth o ran gofal rhwng teuluoedd a staff. Mae rhai perthnasau'n aml yn mynd mas â'r person, i'w cartref efallai, am bryd o fwyd, neu i siopa neu am dro bach.

Gall y teulu ddymuno parhau i gymryd rhywfaint o ran yn y gofal ymarferol, yn enwedig pan mae'r gŵr neu'r wraig wedi bod yn gofalu am eu priod â dementia am beth amser cyn i'r person hwnnw fynd i gartref gofal. Gall hyn gynnwys, er enghraifft, helpu amser bwyd – mae hynny'n cael ei groesawu'n fawr pan fo'r unigolyn yn ei chael hi'n anodd bwyta heb help. Pan mae'r perthnasau'n ymweld am gyfnodau hirach, gallant helpu gyda'r gofal personol – fel y gwnaethant gartref – gan ei fod yn rhywbeth naturiol i'w wneud.

Yn 2020, oherwydd lledaeniad pandemig Covid-19, cafodd ymwneud teuluoedd â chartrefi gofal ei wahardd i bob pwrpas. Cafodd tystiolaeth ymchwil am bwysigrwydd ymwneud y teulu ar gyfer pobl â dementia ei hanwybyddu, gan gael effaith niweidiol ar bawb oedd yn gysylltiedig â hynny. Wrth gwrs, roedd yn allweddol o'r cychwyn cyntaf i amddiffyn preswylwyr cartrefi gofal oedd yn eithriadol o fregus, ac yn byw mewn trefniant cymunedol, lle gallai'r feirws ledaenu'n gyflym. Fodd bynnag, gallai sawl peth fod wedi ei wneud i sicrhau bod ymwneud y teulu'n parhau, a hefyd i amddiffyn iechyd seicolegol a lles y preswylwyr â dementia, pe bai cydnabyddiaeth wedi bod i'r ffaith fod perthnasau nid yn unig yn darparu pwynt cyswllt cymdeithasol â'r byd tu allan, ond eu bod hefyd, mewn nifer o achosion, yn gymaint rhan o'r tîm gofal ag oedd aelodau o'r staff. Mae'n wir y byddai angen i fesurau rheoli'r feirws fod yn eu lle, fel ar gyfer y staff, ond buasai cydnabod perthynas fel gweithiwr allweddol yn llawer mwy ystyrlon na'r hyn oedd yn mynd i fod yn bosib trwy alwadau ffôn neu 'ymweliadau' trwy ffenestri caeedig.

Mae'r gwaharddiad llwyr ar berthnasau'n ymweld â chartrefi gofal a osodwyd gan Lywodraeth y Deyrnas Gyfunol wedi bod yn destun heriau cyfreithiol gan grwpiau ymgyrchu, gan gynnwys John's Campaign a'r Gymdeithas Alzheimer's, am ei fod yn cael ei weld yn torri ar hawliau dynol ym mywyd teulu. Roedd cyfradd y marwolaethau o Covid-19 yn arbennig o uchel ymhlith pobl â dementia, gyda thros chwarter o'r marwolaethau rhwng Mawrth a Mehefin 2020 yn cael eu priodoli i'r feirws. Fodd bynnag, mae sawl prawf bod gan farwolaethau mewn cartrefi gofal berthynas gref â ffactorau eraill mewn gwirionedd, fel y defnydd o staff asiantaeth neu staff sydd ddim yn derbyn tâl salwch wrth hunanynysu.

Rhaid i wersi gael eu dysgu yn sgil y profiad trychinebus hwn: roedd gwahardd ymweliadau yn ddewis hawdd, yn llawer haws ei weithredu na mynd i'r afael â'r her o ddarparu adnoddau digonol i gartrefi gofal. Wrth i ni fwrw ymlaen i ddatblygu'r maes gofal cymdeithasol ar gyfer pobl sy'n byw gyda dementia, mae gwyddoniaeth, a'r natur ddynol, yn dweud wrthym bod teuluoedd yn bartneriaid yn y gofal, ac nad ydyn nhw byth 'dim ond yn ymweld'.

CERDDORIAETH, 'NHAD A FI

Elen ap Robert

Canu? 'Nhad? Na, doedd e ddim yn un â llais canu da fel y cyfryw… Roedd e'n *mwynhau* canu, oedd, ond doedd e ddim â llais canu da ei hun, nac ychwaith yn gallu cadw mewn tiwn. Roedd e'n lico gwrando ar eraill – mewn cyngherddau clasurol ac ar recordiadau – ac roedd record wedi'i gwisgo o David Lloyd yn dipyn o ffefryn ganddo, yn enwedig y gân 'Elen Fwyn'. A gan mai Elen yw fy enw i roedd hynna'n jôc yn ein tŷ ni erioed. Roedd gas 'da fi'r gân, os dwi'n onest… mae rhywbeth sâl felys amdani rywsut. Does dim byd gen i yn erbyn llais melfedaidd y canwr, ddim o gwbwl, dim ond bod y cyfuniad yn ormod i'w stwmogi. Petai e ond wedi canu am rywun arall!

Ond o ran fy nhad yn canu, rhywbeth gweithredol oedd hynny iddo, ond yn fwy na hynny, roedd yn ddefod a dweud y gwir. Fel gweinidog gyda'r Annibynwyr, roedd canu emynau yn rhan annatod o batrwm bywyd, o drefn y Sul, gan eu bod yn ffurfio elfen hollbwysig o'i oedfaon bob wythnos – boed hynny pan oedd yn gyflwynydd *Dechrau Canu Dechrau Canmol* ac â gofalaeth capel Baker Street, Aberystwyth yn y chwedegau cynnar, neu pan gyfunai fywyd darlithydd prifysgol a sefyll fel ymgeisydd dros Blaid Cymru yn erbyn Michael Foot yng Nglyn Ebwy gyda phregethu ar y Sul, yn y saithdegau. Dyma'r cyfnod pan arferai sgrialu yn ei Citroën Diane coch lan yr A470 i'r Porth, Ferndale neu Donypandy, rhedeg yn hwyr gan amlaf, i bregethu ar foreau Sul. Roedd emynau yr un mor bwysig iddo pan y'i croesawyd yn ôl i gymryd gofalaeth (am yr eildro) addoldy Glyn-nedd ac yna Bethel, Caerffili yn ddiweddarach yn ei fywyd. Roedd hynny ar ôl y strôc a newidiodd ei fywyd, a'n bywydau ni, dros nos. Trawiad gafodd e, ar awyren yn dod 'nôl o America yn 1980, blwyddyn fy arholiadau Lefel O.

I 'nhad, roedd emynau yn rhan bwysig o ffabrig ei fodolaeth, yn cynnig sicrwydd a strwythur yn eu rhythmau a'u hodlau – rhywbeth y gellid dibynnu arno ynghanol ei holl ansicrwydd a'i amheuaeth grefyddol. Roedd gan fy nhad fwy o gwestiynau nag o atebion pan oedd hi'n dod at Gredu.

Roedd e'n eu gwybod nhw i gyd, pob un wan jac ohonyn nhw, ac yn cofio rhifau geiriau'r emynau a'r alawon oedd yn perthyn i'r geiriau hynny. Roedd ganddo ffefrynnau, ond hefyd, fel heddychwr, roedd ganddo emynau y byddai'n eu hosgoi, yn bennaf y rhai oedd yn dyrchafu rhyfel neu'n clodfori milwra – 'Y Milwr Bychan' yn eu plith. A fedra i ei glywed e nawr yn cyhoeddi o'r pwlpud gyda llais awdurdodol, "Rhif yr emyn wyth cant dau ddeg a naw", ac yn cyflwyno'r pennill cynta, "Nid wy'n gofyn…", neu "Rhif yr emyn pedwar deg saith. Tydi sydd deilwng oll o'm cân…" Llefaru, nid canu, oedd ei ddiléit.

Doedden ni ddim wedi disgwyl y diagnosis o ddementia fasgiwlar yn 2005. Roedden ni'n rhy barod fel teulu i feio diffygion ei gof ar sgileffaith y strôc i feddwl bod 'na rywbeth arall ar droed – er bod yr arwyddion i gyd yna… A gyda'r geiriau'n cael eu hyngan gan yr arbenigwr, fe'm cariwyd yn ôl i flwyddyn dreuliais i yn cymhwyso i fod yn therapydd cerdd yng Ngholeg Brenhinol Cerdd a Drama Cymru, lle dysgais am botensial cerddoriaeth i ddeffro o drwmgwsg ambell gornel cudd yng nghof y rhai oedd yn byw gyda dementia, llawn cymaint â chreu cysylltiad â phlentyn awtistig, neu helpu un oedd yn brwydro ag anhwylder bwyta. Hynny yw, roedd sgôp cerddoriaeth yn llawer mwy na swyno cynulleidfa mewn neuadd gyngerdd neu dŷ opera, ro'n i'n gwybod hynny eisoes, ond peth arall oedd gweld hyn ar waith gydag aelod o fy nheulu fy hun.

Dim ond oherwydd bod rhaid y des i weld a phrofi go iawn fod gan alaw gerddorol y pŵer i ymdreiddio'n ddyfnach ac ymhellach na dim arall – gan wneud fy mherthynas i a'm tad yn… bosib. Yn raddol daeth dwyster y pŵer hwnnw yn fwyfwy amlwg, ac yn wir yn unig ddolen gyswllt rhyngof a 'nhad a dweud y gwir, yn enwedig ym mlynddoedd olaf ei fywyd pan oedd yn gaeth i'w wely wedi ei lethu gan effaith niwl di-ffin dementia. Ond nid unrhyw alawon, ond emynau – dyna oedd yr allwedd i'r cof.

Trefnais i therapydd cerdd ddod yn wythnosol at fy nhad, ac mae fy nyled yn fawr i Ann Bryniog a chwaraeai gerddoriaeth fyw a recordiadau iddo'n gyson. Mewn ymdrech i greu cyswllt gydag e lle'r oedd sgwrs wedi methu, mi estynnais innau am y 'Dwy law yn erfyn', am yr 'Iesu, Iesu, 'rwyt Ti'n ddigon', am y 'Tyrd atom ni'... a degau o emynau eraill yn y Caniedydd glas oedd yn byw yn ymyl ei wely. Byddwn yn eu canu iddo un ar y tro, ond yn bwyllog â churiad rheolaidd, gan ailadrodd rhai penillion o'i hoff emynau. Dyma pryd y darganfûm, o oedi ychydig rhag cwblhau llinell neu ddwy, bod fy nhad, mewn eiliad felys a deimlai fel awr o nefoedd, yn ôl yn ei bwlpud. Ond yn fwy na hyn oll, am ennyd, yn rhythmau'r nodau a'r sillafau diog, roedd yr edrychiad llawn gobaith a chariad yr arferai'r tad ei roi i'w ferch yn ôl gyda mi.

CYN OERI'R GWAED

Elin ap Hywel

Marciau pensil
ar gyfrol o gywyddau.

Graffiti meddwl un
yn nodi cyffro'r cymundeb
a gwefr yr heli a'r golau'n llathru'n wyn
ar bluf gwylan Dafydd ap Gwilym,
ar wal ddi-sigl amser
ugain mlynedd a mwy yn ôl –
'Hoen ac ieuenctid rŵls ocê?'

Mae yma ysbryd bardd
sy'n awchus am lusgo paent llachar ei brofiadau
dros friciau byw,
a phaentio'r byd
yn wyrdd,
a choch,

a melyn,

ac oren,

a glas, –

wedi ei goffáu am byth

yn sgribliadau syn y graffiti llwyd;

bardd a ymbarchusodd

a heddiw'n gwthio

torlif y trydan sy'n melltennu'n enfys o gerdd

drwy wifrau tyn ei hiraeth.

O, doed imi'r doethineb

i fyw angerdd fy nghân

yn y funud fer

cyn i sbectrwm bywyd

droi yn ddu a gwyn,

a chyn troi fy mhoen

yn gyfres o sylwadau

sy'n araf golli'u lliw

ar ymylon tudalen frau fy nghof.

(O'r gyfrol *Dal i Fod*, Cyhoeddiadau Barddas, 2020)

TAD-CU

Efan Rhys Fairclough

Mae Tad-cu wastad wedi bod yn gymeriad mawr oedd yn gwneud pob math o bethau annisgwyl, ac felly pan ddechreuodd symptomau'r clefyd Alzheimer a dementia fasgwlaidd ddod i'r fei pan oeddwn yn 13, go brin wnes i sylwi. Mae Tad-cu yn ddyn addfwyn, angerddol a chlyfar. A bod yn onest dydw i erioed wedi cwrdd ag unrhyw un mor glyfar ag e. Roedd y *geek* ifanc ag oeddwn yn blentyn yn mwynhau pob eiliad o drafod gwleidyddiaeth, hanes Cymru a'r byd, chwaraeon a materion rhyngwladol gydag e dros ginio dydd Sul.

Roedd Tad-cu yn gwybod popeth am bopeth. Roedd e wedi darllen cymaint trwy ei fywyd, wedi trwytho'i hun ym myd y celfyddydau a cherddoriaeth, ac wedi cael cymaint o brofiadau diddorol. Roedd wedi teithio'r byd ac yn medru siarad nifer o ieithoedd. Yn ei arddegau cynnar roedd wedi cael ei anfon i Ffrainc gan ei fam i weithio mewn ffatri gaws er mwyn dysgu Ffrangeg.

Roedd Tad-cu yn credu bod bywyd yn fyr ac felly

y dylen ni i gyd wneud y mwyaf o'n bywydau tra bod gennym yr iechyd a'r chwilfrydedd i wneud hynny – rhywbeth rydw i'n gobeithio fy mod wedi'i etifeddu ganddo. Mae Tad-cu wedi fy ysbrydoli.

Yr hyn y mae pawb yn ei ddweud amdano yw ei fod yn ddyn gydag angerdd cryf dros ei gredoau a pharch dwfn tuag at bawb – doedd dim ots pwy oedden nhw. Roedd e'n gweld daioni ym mhawb. Roedd y rhinwedd yma yn ei gymeriad yn rhywbeth roeddwn i wir yn ei edmygu fel plentyn. Roedd Tad-cu yn credu, heb os, fod pob un person yn bwysig a bod y byd i gyd yn ystafell ddosbarth lle mae modd dysgu rhywbeth o'r newydd o hyd. Mae'r ffaith iddo ddysgu Cymraeg fel ail iaith a theimlo'n ddigon rhugl erbyn ei bedwardegau i wneud ei waith proffesiynol drwy'r Gymraeg yn dystiolaeth o'i allu, o'i feddwl eang a'i gariad tuag at Gymru. Er nad oedd yn dod o aelwyd Gymraeg nac yn rhugl yn y Gymraeg ei hun, roedd penderfyniad dewr fy nhad-cu a'm mam-gu yn y 1970au i anfon eu plant i ysgol Gymraeg wedi llywio dyfodol fy mam ac, yn sgil hynny, wedi cael effaith mawr ar fy mywyd i. Mawr yw fy niolch iddyn nhw am sicrhau fy mod i wedi cael fy magu trwy'r Gymraeg. Hoffwn feddwl bod fy mhersonoliaeth i'n debyg iawn i un Tad-cu. Rwy'n berson eangfrydig fy marn a fy syniadau, rwy'n barod i fentro ac yn mwynhau bywyd i'r eithaf – hoffwn gael yr un olwg ar y byd trwy gydol fy mywyd ag sydd ganddo fe.

A dyna pam mae gweld fy nhad-cu yn dirywio ac yn pylu wedi bod yn brofiad mor anodd. Mae'n wir dweud nad yw hi wedi bod yn hawdd i mi dderbyn nac ymdopi gyda hyn dros y pum mlynedd diwethaf yn ystod fy arddegau. Ond nid yw'n sefyllfa ni yn unigryw chwaith. Mae miliynau o bobl ifanc yn yr un sefyllfa ar draws y byd. Mae Tad-cu wedi bod ar fy meddwl trwy gydol y blynyddoedd diwethaf ac er bod meddwl am ei gyflwr yn aml yn dorcalonnus, mewn ffordd mae hyn wedi fy ysbrydoli i weithio'n galed yn yr ysgol ac i geisio mwynhau fy ieuenctid. Mae'r cyfrifoldeb o ofalu amdano o bryd i'w gilydd neu o gadw cwmni iddo wedi fy helpu i aeddfedu fel person, ac erbyn hyn mae e wedi fy ysbrydoli i wneud cais i astudio meddygaeth yn y brifysgol.

Mae dementia yn glefyd mor greulon, nid yn unig oherwydd y ffordd y mae'n codi ofn ar y cleifion sy'n byw gyda'r cyflwr, ond hefyd oherwydd yr effaith mae'n ei gael ar y bobl o'u hamgylch sy'n eu caru. Mae hi mor anodd gweld aelod o'ch teulu – eich arwr – yn colli ei gof. I fi, un o'r pethau anoddaf yw gweld yr effaith mae'r clefyd hefyd yn ei gael ar Mam. Mae'n sefyllfa drist i ni i gyd, ond dydw i ddim yn gallu dychmygu sut mae'n teimlo i weld eich rhiant yn dirywio yn sgil Alzheimer's a dementia – ac mae Mam a Tad-cu wastad wedi bod yn agos iawn. Rydw i wedi trio fy ngorau glas dros y blynyddoedd diwethaf i fod yna i Mam. Rydw i wedi treulio adegau hir yn gofalu am Dad-cu ac yn cadw cwmni iddo er mwyn helpu Mam mewn unrhyw ffordd bosib a gwneud bywyd yn haws iddi. Rydw i hefyd wedi trio bod yna'n emosiynol iddi, ac rydym wedi annog ein gilydd i rannu ein teimladau a'n pryderon. Rydw i'n ddiolchgar iawn iddi am ei gonestrwydd dros y blynyddoedd diwethaf, achos mae gwybod sut mae Mam yn teimlo yn golygu fy mod i'n gallu bod yna iddi ac yn gwybod pryd mae hi dan straen neu'n drist. Mae ambell foment wedi bod yn galed iawn − yr achlysuron pan mae Tad-cu wedi mynd ar goll neu wedi dirywio'n sydyn, bron â bod dros nos. Yr un peth positif sy'n dod ohono yw bod y cyfan wedi dod â Mam a finnau hyd yn oed yn agosach yn emosiynol, ac rydyn ni bob amser yn teimlo'n gyfforddus yn trafod ein hemosiynau gyda'n gilydd o ganlyniad i'r profiadau rydym wedi eu rhannu gyda Tad-cu.

Weithiau, serch hynny, mae'n dda cael rhannu fy nheimladau am sefyllfa Tad-cu gyda rhywun sy'n agosach at fy oedran i hefyd. Rydw i'n ddiolchgar i fy chwaer, Ffion, am fod yn barod i drafod y cyfan gan ei bod hi'n mynd trwy'r un peth â fi. Rydw i hefyd mor falch fod gen i griw o ffrindiau anhygoel sy'n gefnogol ac yn ddoniol − a dwi'n medru siarad gyda nhw am glefyd fy nhad-cu a rhannu fy straeon am ba mor anhygoel yw e.

Rydw i wedi dysgu sawl peth am sut i helpu Tad-cu dros y blynyddoedd diwethaf. Yn gyntaf, rydw i wedi dysgu pa mor bwysig yw hi i drio cadw ei feddwl i weithio a'i ymennydd i weithredu gymaint ag sy'n bosib. Rydym wedi mwynhau mynd i gerdded, cael sgyrsiau am rygbi a phêl-droed a gwneud jig-sos gyda'n gilydd. Weithiau mae'r sgyrsiau'n fwy clir ac yn fwy brwdfrydig nag ar adegau eraill, ond mae dod o hyd i bethau i'w gwneud neu i'w trafod yn helpu Tad-cu i ddianc rhag ei gyflwr.

Mae Tad-cu hefyd yn caru cerddoriaeth Bruce Springsteen a Bob Dylan, felly yn aml byddaf i'n mynd ar YouTube ar y teledu i chwilio am gyngherddau i'w gwylio gyda fe. Mae'n beth rhyfedd – er nad yw e'n aml yn gallu cofio'r hyn wnaeth e'r bore hwnnw neu ddoe, mae'n dal i gofio pob gair o ganeuon y 'Boss' a Dylan. Mae cerddoriaeth mor bwerus. Ar yr adegau hynny mae Tad-cu yn hapus ac yn fodlon. Mae cadw'n brysur yn bwysig.

Mae yna adegau eraill wrth gwrs pan nad yw ei hwyliau cystal – sy'n rhyfedd, achos dwi ddim yn cofio Tad-cu yn anhapus erioed cyn iddo fynd yn sâl. Ond mae'n gallu troi'n rhwystredig, neu'n flin ac wedi drysu'n llwyr ar fyr rybudd. Mae'n bwysig derbyn hyn, a bod yn bwyllog ac amyneddgar, a dangos cariad tuag ato – fel arfer, mae hyn oll wedi deillio o'r ffaith ei fod wedi dychryn neu'n bryderus.

Rydw i hefyd wedi dysgu peidio â gwrth-ddweud pethau mae e'n eu dweud – hyd yn oed os nad yw'r hyn mae'n ei ddweud yn gwneud synnwyr. Yn hytrach rwy'n cytuno gydag e, ac yn gwneud unrhyw beth sy'n gwneud iddo deimlo'n ddiogel, yn llai dryslyd ac yn falch.

Mae Tad-cu yn haeddu parch, cariad a'r gofal gorau. Mae e wedi treulio ei fywyd yn helpu pobl eraill. Nawr, dyma'n tro ni i'w helpu e.

FY ARWR, PHIL PENNAR

Ffion Heledd Fairclough

Pan oeddwn i'n iau, rwy'n cofio mynd i dŷ Tad-cu a'i weld e'n gweithio'n galed yn y stydi. Roedd yn gweithio ym myd y gyfraith, ac roedd e bob amser yn gweithio'n galed ofnadwy er mwyn gwneud ei orau glas – hyd yn oed os oedd hynny'n golygu gweithio trwy'r penwythnos. Rwy'n ffan enfawr o sioeau cerdd ac roedd Tad-cu yn fy atgoffa o'r llinell yn y sioe gerdd *Hamilton*, "Why do you write like you're running out of time?", oherwydd roedd e bob amser yn edrych fel petai ar frys ac yn ysgrifennu nodiadau fel petai'n ysgrifennu nofel!

Roedd wastad gymaint ganddo i'w ddweud – cymaint o straeon. Rwy'n ei gofio yn hel achau ac roedd e'n gallu siarad am aelodau o'r teulu oedd yn mynd yn ôl ganrifoedd. Rydw i hefyd yn cofio ei straeon am deithio'r byd. Yn aml iawn, byddai Tad-cu yn dod ag anrheg fach i ni o rywle diddorol – ac roedd yr anrheg bob amser yn anarferol. Pan ddaeth yn ôl o Dde Affrica er enghraifft, mi ges i ddoli o Nelson Mandela ganddo, wedi ei gwneud o wlân.

Tad-cu oedd y dyn mwyaf galluog a charedig i mi gwrdd ag e erioed, ac er bod ei ymennydd yn sâl, mae cymaint yn dal i fod ynddo. Cafodd y diagnosis fod ganddo ddementia fasgwlaidd ac Alzheimer's yn 2016. Dim ond un ar ddeg o'n i ar y pryd a doeddwn i ddim yn deall y peth o gwbl. Gan nad oedd yr afiechyd wedi effeithio arno gymaint â hynny bryd 'ny, doeddwn i ddim yn deall pam oedd Mam a'r teulu mor drist. Roedd Tad-cu yn dal i fod y dyn caredig, ychydig yn ecsentrig a galluog roedd e wastad wedi bod.

A bod yn onest, wnes i ddim sylwi ar unrhyw wahaniaeth tan iddo ddod gyda ni i 'ngweld i a fy mrawd yn cystadlu yn Eisteddfod yr Urdd Sir y Fflint, 2016. Dyna pryd ddaeth hi i'r amlwg nad oedd Tad-cu yn cofio'r pethau oedd newydd ddigwydd – a'i fod e, o bryd i'w gilydd, wedi drysu. Roeddwn yn ymwybodol hefyd bod angen i rywun gadw cwmni iddo drwy'r amser, rhag ofn iddo fynd i rywle anghyfarwydd ac anghofio lle roedd e. A dyna pryd roedd yr holl dristwch wedi fy nharo i'n bersonol. Tan hynny, doeddwn i ddim fel petawn i'n barod i gredu beth oedd yn digwydd iddo – tan i mi brofi'r cyfan fy hun yn gyntaf. Dim ond pethau bychain oedd yn wahanol – pethau na fyddai pobl yn meddwl dwywaith amdanyn nhw petaen nhw ddim yn gwybod. Ond, wrth i mi weld Tad-cu yn gwaethygu a dechrau colli ei gof, torrais fy nghalon achos ro'n i am glywed Tad-cu yn adrodd ei straeon rhyfeddol wrtha i am weddill ei oes.

Roedd llawer yn mynd trwy fy mhen ar y pryd. Doeddwn i ddim yn deall llawer am y salwch i ddechrau, felly roeddwn i'n poeni ac yn cwestiynu pethau yn fy mhen — ac yn dychmygu pob math o bethau ofnadwy ar gyfer y dyfodol. Roeddwn i hefyd yn becso am fy mam a'i chwiorydd. Roedden nhw mor drist ond roedden nhw wedi mynd ati i geisio dysgu mwy am y salwch yma yn syth. Roedden nhw am wneud popeth posib i helpu'r dyn sydd yn arwr iddyn nhw, fel mae e i fi.

Roedd Tad-cu yn benderfynol o geisio aros mor iach â phosib mor hir â phosib — am fisoedd a misoedd dwi'n ei gofio fe'n gwneud ymarfer corff ac yn cysgu'n dda er mwyn gorffwys. Dywedodd y doctor wrtho y byddai'n rhaid iddo ail-wneud ei brawf gyrru. Roedd yn syndod enfawr i bawb (ac yn ddychryn i ni i gyd) pan basiodd y prawf ar ôl paratoi'n drylwyr. Unwaith eto profodd Tad-cu ei allu i weithio'n galed ac i wneud pethau cwbl annisgwyl! Wrth gwrs, gydag amser, fe ddaeth y pwynt pan oedd rhaid i'r gyrru ddod i ben, ond roedd pawb yn edmygu'r ffordd roedd wedi brwydro cyhyd.

Wrth i'r misoedd a'r blynyddoedd fynd heibio, gwelais ymennydd Tad-cu yn dirywio mwy. Doeddwn i ddim wir yn siŵr sut i ddelio â'r sefyllfa nac ychwaith sut i wneud pethau'n haws i Dad-cu. Felly penderfynais ddod yn 'Dementia Friend' trwy ddilyn cwrs ar y we, a dwi'n dal i dderbyn e-byst sy'n rhoi cymorth i mi ddelio â'r cyfan.

Erbyn heddiw, mae salwch Tad-cu wedi gwaethygu tipyn ac mae pob math o benderfyniadau anodd i'w gwneud er mwyn sicrhau ei fod yn cael y gofal gorau. Mae'r sefyllfa'n gallu gwneud i fy mam deimlo'n drist iawn. Dwi'n berson sy'n uniaethu llawer â phobl, yn enwedig Mam, a dwi'n casáu ei gweld hi'n drist. Ar un adeg roedd fy mrawd a finnau'n teimlo mor rhwystredig oherwydd doedden ni ddim yn gwybod beth i'w wneud i helpu. Felly, aethon ni ati, gyda fy rhieni, i gerdded 100 milltir yr un ym mis Awst 2020, i godi arian tuag at elusen oedd yn helpu teuluoedd eraill yn yr un sefyllfa â ni. Roedd yn anodd, ond mi godon ni £1000, diolch i garedigrwydd pobl, ac roedd hyn yn rhywbeth a lwyddodd i'n helpu yn ystod cyfnod oedd mor emosiynol i bawb.

Er yr holl bethau ofnadwy am y salwch, mae'r sefyllfa wedi gwneud i mi werthfawrogi'r pethau bychain a thrysori pob eiliad gyda Tad-cu. Pan mae pawb arall yn siarad fel oedolion am bethau 'oedolion', dwi wrth fy modd yn siarad gyda Tad-cu, gan fod y sgyrsiau yn syml ac yn hwyl. Mae ganddo lawer o ddiddordeb yn fy llwyddiannau i hefyd, yn enwedig fy straeon am y gemau pêl-droed dwi'n eu chwarae gyda thîm AFC Porth. Mae Tad-cu yn caru pêl-droed. Roedd e hyd yn oed wedi mynd i'r Ewros yn

2016 ar ben ei hun ar ôl cael ei ddiagnosis. Ond un peth mae Tad-cu'n dal i'w ddweud wrtha i yw fy mod yn gallu cyflawni unrhyw beth dwi eisiau – ac rwyf am gofio hynna am weddill fy mywyd.

Rhywbeth arall sy'n fy ngwneud yn hapus yw treulio amser yn gwneud jig-sos hawdd gydag e. Rwy'n hoffi ei weld e'n meddwl yn galed am ble fydd y darn nesaf yn mynd ac yna'n dadansoddi'r jig-so ar y diwedd. Wrth wneud un jig-so yn ddiweddar mi welodd lun o drên ac yn sydyn, dechreuodd ganu 'Trên bach yr Wyddfa' gan chwerthin. Mae'r ffaith fy mod yn dal yn gallu siarad ag e yn yr iaith Gymraeg yn golygu llawer i mi, yn enwedig gan taw ail iaith yw'r Gymraeg i Dad-cu. Mi ddysgodd y Gymraeg fel oedolyn, a chystal oedd ei afael ar yr iaith nes iddo lwyddo i weithio drwy'r Gymraeg a chael ei wahodd i fod yn aelod o'r Orsedd.

Rydw i wedi dysgu llawer am yr afiechyd erbyn hyn. Rydw i wedi dysgu sut i'w gysuro pan mae'n dychryn, a sut i wneud iddo deimlo'n ddiogel. Rydw i hefyd wedi dysgu pa mor bwysig yw hi i'w gadw'n brysur. Rydw i wedi dysgu cymaint am ei ddiddordebau, yn enwedig am y gerddoriaeth mae'n ei hoffi – rwy'n siŵr fy mod i'n gwybod holl ganeuon Bruce Springsteen a Bob Dylan erbyn hyn! Mae clywed cerddoriaeth yn gysur iddo.

Y peth arall sy'n rhoi cysur iddo yw ei gi, Ianto. Mae'n dweud taw Ianto yw ei "ffrind gorau" a dwi'n gallu gweld pam. Mae'r ci wastad wrth ei ochr ac mae'n gallu bod yn fe ei hun o flaen Ianto, heb bryderu beth mae Ianto'n ei feddwl.

I mi, mae bod yng nghwmni fy nhad-cu yn fwy arbennig nag erioed ac yn bwysicach na phethau eraill. Wrth gwrs, mae'n dod â'i heriau. Dwi'n ferch 16 oed yng nghanol fy mlwyddyn TGAU, ond ar hyn o bryd dwi ddim yn gallu rhannu pethau wyneb yn wyneb gyda fy ffrindiau oherwydd cyfyngiadau'r Coronafeirws. Weithiau, mae bod yn gaeth i'r tŷ pan mae'r teulu yn poeni'n ofnadwy am fy nhad-cu yn gallu fy llethu. Mae dianc rhag hynny weithiau a threulio amser gyda fy ffrindiau, hyd yn oed dros y we, yn gallu helpu. Ond dwi mor ddiolchgar am y bobl sydd o fy nghwmpas – fy nheulu, fy ffrindiau, fy nghefndryd a hyd yn oed fy athrawon yn yr ysgol – maen nhw i gyd wedi fy nghefnogi drwy'r amser heriol yma. Ac rydym wedi llwyddo fel teulu, drwy'r cyfan, i sicrhau ein bod yn dal i greu atgofion hapus i ni'n hunain gyda Tad-cu.

PROFIAD UN TEULU

John Phillips

Mae heulwen dan gymylau – a gwên
  Yn gudd yn y dagrau;
  Yna afiaith hen hafau
  Ddaw'n ei dro i'r co' – cyn cau.

Erbyn hyn rwy'n ddigon hen i allu cyfeirio at y dyddiau gynt fel 'slawer dydd' ac i ryfeddu pa mor ddieithr yw cymaint o arferion cymdeithasol heddiw. Wrth i driniaethau meddygol ddatblygu ac wrth í safonau byw wella mae mwy ohonom yn cyrraedd oedrannau teg. Slawer dydd byddai fwy neu lai'n naturiol i'r teulu ofalu am fam-gu neu dad-cu ar yr aelwyd pan fyddai henaint yn eu llethu. Erbyn heddiw mae dyletswyddau gwaith a swydd yn dueddol o glymu'r to ifanc ac fe fydd gan dad-cu a mam-gu ddyletswyddau teuluol newydd megis rhai wrth glwyd yr ysgol. Dyna o leiaf fu fy mhrofiad innau ar adegau. Ond erbyn heddiw gwelsom hefyd fod y galw am ofalwyr yn cynyddu o fewn cymdeithas wrth i ddementia ac Alzheimer's daflu cysgodion dros lawer iawn o aelwydydd. Gwelsom fod y galw am gartrefi gofal wedi cynyddu wrth inni ddod yn fwy ymwybodol o'r problemau sydd ynghlwm wrth y broses o heneiddio. Mae'r galw cynyddol am ofal o fewn y gymdeithas yn gosod pwysau ychwanegol ar deuluoedd, ond hyd yn hyn, nid oes unrhyw lywodraeth wedi bod yn ddigon dewr i geisio datrys y problemau a ddaw yn sgil hynny. Mae pob un yn dueddol o addo gwneud rhywbeth, ond nid oes unrhyw un hyd yn hyn wedi bod yn ddigon parod i ysgwyddo baich ariannol yr hyn a elwir yn *social care* – gofal cymdeithasol. Adeg etholiad mae bron pob plaid yn addo dod o hyd i'r cyllid angenrheidiol i ymaflyd yn yr heriau sy'n bodoli, ond yna'n dueddol o anghofio. Cafwyd cynllun gan Theresa May ond ni wireddwyd hwnnw. Mae Boris Johnson wedi addo ariannu gwelliannau yn Lloegr i'r Gwasanaeth Iechyd a'r Gwasanaeth Gofal drwy ddefnyddio'r arian a godir o'r Yswiriant Gwladol. Mae galw sylweddol, yn barod, o du'r Gwasanaeth Iechyd, felly ni wyddys faint fydd ar ôl ar gyfer Gofal. O fis Hydref 2023 ni fydd rhaid i neb ag asedau o dan £20,000 dalu dim byd. Bydd angen i unrhyw un ag asedau o £20,000 i £100,000 wneud cyfraniad, ond ceir peth cymorth gan y wladwriaeth. O Hydref 2023, ni ddisgwylir i neb dalu cyfanswm o dros £86,000 yn ystod un bywyd. Bydd y Senedd yn cael swm priodol o gyllid ar gyfer Cymru, a chyfrifoldeb yr aelodau fydd llunio cynllun ar ei chyfer.

Daethom ninnau fel teulu yn gyfarwydd â gofynion clefyd dementia wrth i Bethan fy ngwraig ddechrau dangos arwyddion o anghofusrwydd wedi iddi groesi'r saith deg. Fe ddywedodd yr awdur o Sais, Terry Pratchett, a fu farw o ddementia: "Dementia is no respecter of intellect", a gwir fu hynny yn achos Bethan. Roedd hi'n awdur saith o lyfrau gan gynnwys *Peterwell*, sef hanes Syr Herbert Lloyd, sgweier mileinig Ffynnonbedr, a dau arall ar Joseph Jenkins, Trecefel, y 'Swagman o Dregaron'. Golygodd hynny flynyddoedd o ymchwil yn y Llyfrgell Genedlaethol wrth balu trwy nifer o ddogfennau a dyddiaduron. Hefyd cyhoeddodd *The Lovers' Graves*, casgliad o ysgrifau ar hanes lleol. Sgriptiodd nifer helaeth o raglenni radio a theledu dros y blynyddoedd, gan gynnwys y gyfres *Dihirod Dyfed* gyda Paul Turner a nifer ar gyfer *Almanac* a *Hel Straeon* i Wil Aaron. Enillodd hefyd wobr Sianel 4 (Prydain) am ffilm ar y Celtiaid. Ond wrth iddi gyrraedd y saithdegau daeth yr holl weithgarwch i ben wrth i'r dementia ddechrau arafu'r cof ac wrth i'r Alzheimer's ddechrau cydio.

I raddau helaeth, lleidr didrugaredd yw'r clefyd maleisus hwn wrth iddo'n raddol amlygu ei hunan trwy ddifa'r cof, yna dwyn yr ymwybyddiaeth o ddigwyddiadau a phersonau fu gynt yn rhan o bersonoliaeth person. Fe all fod yn broses go boenus i'r teulu a'r anwyliaid wrth sylweddoli bod cysylltiadau oes yn dechrau ymbellhau, a chyfnod o ddieithrwch yn cymryd eu lle. Nid oes symptomau unffurf, oblegid wrth ymweld â chartref preswyl gwelir mor wahanol yw'r effaith ar y gwahanol ddioddefwyr. Wrth i Bethan gilio'n raddol i'w byd bach ei hunan bu'n rhaid i minnau fod yn llwyr gyfrifol am bob agwedd o'n bywydau. Lle byddwn yn rhannu'r gorchwylion o gwmpas y tŷ wedi ymddeol, nid oedd modd i Bethan ganolbwyntio mwyach ar lawer ohonynt. Roedd hi wrth ei bodd yn gyrru, a minnau'n barod iawn iddi wneud. Yn awr bu'n rhaid i mi ailgydio'n llwyr yn hynny. Roedd yn hoffi darparu bwyd ond yna bu'n rhaid i mi baratoi'r holl brydau. Llwyddais yn weddol heb geisio bod yn rhy uchelgeisiol. Ond wrth i'r clefyd ddwysáu y dasg fwyaf oedd ei pherswadio hi i fwyta. Bu'n rhaid meistroli'r peiriant golchi a'r sychwr dillad a defnyddio'r hwfyr yn amlach nag arfer. Mae'n gywilydd gen i gyfaddef mai profiadau go newydd oedd llawer o'r rhain i mi ar y cyfan. Methais gael fawr o lwc gyda'r smwddio dillad a bu'n rhaid troi at gymdoges os byddai angen gwnïo botwm neu fyrhau unrhyw beth. Eto, aeth bywyd yn ei flaen yn weddol hwylus gan fod Bethan yn weddol ddiddig a hapus ar y cyfan.

Yna, wrth ymweld â'r syrjeri, fe benderfynodd ein meddyg roi ychydig o brofion i Bethan. Un o'r profion symlaf oedd rhoi cylch gwag ar bapur a gofyn iddi osod rhifau'r cloc o'i fewn. Methodd â gwneud hynny. Yna darllenodd baragraff a gofyn cwestiynau ar ei gynnwys. Daeth yn amlwg ei bod yn cael trafferth i gofio a daeth y meddyg i'r casgliad bod arwyddion pendant o ddementia yn dechrau ymddangos. Eto, wrth i'r misoedd fynd yn eu blaen, llwyddwn i ymdopi'n weddol a byddai Bethan wrth ei bodd yn mynd am dro yn y car i Aberaeron i gael hufen iâ mêl, neu i Aberystwyth i weld Geraint, Manon a'r wyrion. Bûm mor fentrus â mynd â hi i Galiffornia i weld y ferch Catrin a'r wyres Ffion. Bu Catrin yn gweithio mewn ysbyty yn Sacramento am ddeng mlynedd ar hugain. Eto, roedd peth gofid yn dod yn amlwg wrth geisio ei thywys drwy'r meysydd awyr yn America. Aethom hyd yn oed ar fordaith fer i Norwy hefyd.

Ond yna daeth tuedd iddi grwydro yn amlach o'r tŷ yn Llambed os na fyddwn yn wyliadwrus, ac ar fwy nag un achlysur bu'n rhaid i rywun ei hebrwng yn ôl o'r dref. Unwaith, heb i mi sylwi, roedd wedi mynd i'r banc, a thro arall i'r siop leol. Yn ffodus, roedd yna ddigon yn y dref yn ei hadnabod ac yn medru ei hebrwng 'nôl yn ddiogel. Ond daeth tro pellach ar fyd pan gafodd hi gyfnod gwael o *gastroenteritis* a bu'n rhaid ei chymryd i Ysbyty Bronglais. Mae'n rhaid imi ganmol y staff yno am eu gofal drosti yn ystod y cyfnod hwn. Ond dal i ymaflyd wnaeth y dementia. Dechreuodd fynd yn fwy aflonydd yn raddol, a phallodd y cof. Tueddai i golli adnabyddiaeth o'r plant a'r wyrion, ac weithiau ohonof innau. Cafwyd *case conference* yn yr ysbyty gan fod galw i'w rhyddhau i 'place of safety' a phenderfynwyd na fyddai'n bosib i mi edrych ar ei hôl mwyach, a byddai'n rhaid i mi ei gosod mewn cartref gofal. Llwyddais i gael lle yng nghartref gofal Annedd, Llanybydder, oedd yn gyfleus iawn o ran lleoliad. O hynny ymlaen, unwaith yn unig y bu'n bosib i Bethan groesi trothwy Castellan, ein cartref ers dros ddeng mlynedd ar hugain. Euthum â hi am dro unwaith o Annedd yn y car ond ar ôl mynd i mewn i'n cartref, safodd am funud neu ddwy yn edrych drwy ffenestr y lolfa, trodd ar ei sawdl, a dywedodd "Come on, let's go." Dal i ddirywio wnaeth ei chyflwr yn Annedd o wythnos i wythnos, ac yn y diwedd bu'n rhaid ei throsglwyddo i gartref EMI (Elderly Mentally Infirm) Blaenos yn Llanymddyfri.

Wrth orfod gosod aelod o'r teulu sy'n gaeth i ddementia mewn cartref gofal fe ddeuir wyneb yn wyneb nid yn unig â difrifoldeb y clefyd, ond hefyd â'r gwahaniaeth mawr a wneir rhyngddo a chlefydau eraill. Er enghraifft, pan fydd rhywun â chancr neu glefyd y galon yn gorfod mynd i ysbyty, nid oes disgwyl i'r teulu dalu am y gofal a'r driniaeth, oni bai ei fod ef neu hi yn dewis mynd yn breifat. Mae'r cyfan yn dal yn gyfrifoldeb y Gwasanaeth Iechyd, ac wrth gwrs, felly y dylai fod. Ond nid felly mewn cartref gofal sy'n darparu ar gyfer y rhai sy'n dioddef o Alzheimer's a dementia. Y ddadl yw nad gofal iechyd sydd ei angen arnynt ond gofal cymdeithasol. Ar hyn o bryd, cyfrifoldeb llywodraeth leol yw gofal cymdeithasol, a nhw sy'n codi tâl am y gofal hwnnw. Mae system Means Test yn bodoli ac os oes gan y teulu asedau o dros £40,000 mae disgwyl iddynt dalu. Gyda llaw, mae gwerth y tŷ teuluol yn cael ei gynnwys yn yr asesiad hwnnw, felly, nid oes angen i deuluoedd fod yn gyfoethog iawn cyn syrthio i'r fagl honno. Unwaith y bydd yr arian parod yn dod i ben, mae modd cymryd gwerth y tŷ i ystyriaeth. Felly, ar ddiwedd y broses fe ellir gwerthu'r tŷ a chymryd yr hyn sy'n ddyledus. Ni ellir gwneud hynny tra bod y cymar yn dal i fyw ynddo, ond fe fydd hynny'n gallu effeithio ar etifeddiaeth y teulu yn y pen draw.

Pan gymerwyd Bethan i Fronglais, ni soniwyd o gwbl am y gost o'i chadw am fod angen gofal meddygol (y gwasanaeth iechyd) arni. Roedd ei hiechyd yr un mor wael os nad gwaeth pan aeth i gartref gofal Annedd, ac erbyn iddi fynd i mewn i Blaenos roedd hi'n methu â gwneud dim bron drosti ei hunan, a gwaethygu roedd ei hiechyd. Eto, roedd rhaid talu am ei gofal yn y cartrefi hynny. Roedd wedi gadael sefydliad oedd o fewn cyfrifoldeb meddygol y Gwasanaeth Iechyd, ac yn cael ei throsglwyddo i gyfrifoldeb gofal y gwasanaethau cymdeithasol.

Mae'n bwysig nodi bod modd osgoi hynny os gellir profi bod angen yr hyn a elwir yn 'continuing health care' ac nid gofal yn unig. Mae deall y gwahaniaeth hwn yn ein dwyn i fyd y gyfraith ac i achos cyfreithiol a benderfynwyd yn y Llys Apêl yn 1999. Yn yr achos hwn ceisiodd y llys esbonio beth oedd cyfrifoldebau'r Gwasanaeth Iechyd a hawl llywodraeth leol i godi tâl ar deuluoedd preswylwyr cartrefi gofal. Enw'r egwyddor yw'r Coughlan Principle.

Dyma'n fras y cefndir y tu ôl i'r achos pwysig hwn. Cafodd dynes o'r enw Pamela Coughlan niwed difrifol mewn damwain car a bu'n gaeth mewn ysbyty am dros ugain mlynedd ac yn gyfrifodeb i'r NHS, felly heb orfod talu. Pan benderfynwyd cau'r ysbyty cafodd ei throsglwyddo i gartref oedd dan ofal y gwasanaethau cymdeithasol. Tybiwyd yn awr bod hawl codi tâl am ofalu amdani gan ei bod yn dod o dan gyfrifoldeb llywodraeth leol yn hytrach na'r NHS. Heriwyd hynny yn y llysoedd, a bu cyfnod hir o gyfreithia nes o'r diwedd i'r mater gyrraedd un o'r llysoedd mwyaf pwerus, sef y Llys Apêl. Dyfarnodd hwnnw yn y diwedd, er ei bod mewn cartref gofal, ei bod hi'n dal ag anghenion meddygol ac nad mater o ofal yn unig ydoedd. Penderfynodd y llys nad oedd hi'n briodol codi tâl ar glaf mewn cartref gofal os oedd yr anghenion yn fwy na gofal yn unig. Os oedd angen gofal meddygol parhaus – 'continuing health care' – ar glaf, nid oedd yn gyfreithlon i'r NHS osod y gost o ofalu amdano ar y sector gofal cymdeithasol. Byddai'n rhaid i'r Gwasanaeth Iechyd dalu'r gost.

Yn anffodus, ni chafwyd diffiniad eglur o'r term 'continuing health care' ac felly mater o ddehongliad sy'n dal i benderfynu a oes angen gofal iechyd ac nid gofal yn unig. Felly fe all yr NHS fod yn gyndyn iawn i dderbyn y cyfrifoldeb ac fe ddysgais hynny trwy brofiad. Fel y gwelwyd eisoes, oherwydd i Bethan ddirywio bu'n rhaid ei symud o Annedd i gartref (EMI) Blaenos ar gyfer yr Elderly Mentally Infirm. Roedd y Nyrs Seiciatryddol leol o'r farn ei bod yn teilyngu'r gofal meddygol parhaus fyddai'n golygu na fyddai'n rhaid talu am hynny. Wedi ei throsglwyddo i Flaenos cafwyd asesiad a dyna fu'r penderfyniad yno. Ond aeth misoedd heibio heb imi glywed dim byd. Wrth holi ymhellach, mi glywais fod hynny wedi ei wrthod gan y Bwrdd Iechyd yn Llanelli. Roeddent am ddanfon aseswyr i ystyried y mater eto.

Fe ddaeth dwy i Flaenos a chafwyd cyfarfod. Ni fuont yn hir iawn cyn penderfynu nad oedd Bethan wedi'r cwbl yn deilwng o'r gofal meddygol parhaus, er bod nyrs y cartref yn dweud, "Bethan can't do anything for herself, we have to do everything for her." Felly, roedd argymhelliad y rhai oedd yn gyfrifol am ofal Bethan wedi ei wrthod gan aseswyr y Bwrdd Iechyd. Nid oeddwn yn fodlon â hynny, ac yn y diwedd gofynnais am adolygiad annibynnol – IRP. Galwyd un a chefais gyfle i osod fy achos gerbron y panel. Ni chefais drafferth i brofi bod angen mwy na gofal arni, ac fe dderbyniwyd hynny, ond dim ond am flwyddyn yn unig. Roedd y Bwrdd Iechyd am wneud adolygiad pellach, ac roeddwn wedi colli Bethan cyn i hwnnw ddigwydd. Felly, roedd rhaid parhau i dalu am weddill yr amser y bu Bethan mewn gofal. Roeddwn yn barod i wneud hynny, ond ar yr un pryd roeddwn yn dal i gorddi bod dwy aseswraig, ar ôl treulio awr yn unig ym Mlaenos, wedi gwrthod barn rhai oedd yn gofalu am Bethan yn Annedd a Blaenos.

Bu Bethan ym Mlaenos am dros bedair blynedd, a bûm i a'r teulu yn ymwelwyr ffyddlon a chyson. Dros gyfnod o flynyddoedd bu'n gaeth i'w chadair ac yna fe gollodd y gallu i siarad yn llwyr. Yn y diwedd fe gollodd unrhyw adnabyddiaeth o'r plant a'r wyrion ac yna ohonof i. Eto, daliwn i ymweld â hi sawl gwaith yr wythnos oblegid roedd eistedd yn ei chwmni yn gysur, yn enwedig os cafwyd rhith o wên ar adegau prin. Gyda'r clefyd hwn nid yw dyn yn sicr beth sy'n treiddio i'r ymennydd, a'r gofid pennaf imi oedd hyn: tybed a oedd Bethan yn synhwyro peth o'r sgwrs ond yn methu ymateb wrth fod yn gaeth i'r clefyd? Byddai Geraint a'r teulu yn teithio'n gyson o Aberystwyth, a Catrin a Ffion yn dod yn ôl o Sacramento i'w gweld, ond prin iawn oedd ei hadnabyddiaeth ohonynt yn y diwedd.

Ond eto, nid oedd y cartref ei hunan yn lle anhapus gan fod y gofalwyr yn ceisio sicrhau bod yno awyrgylch hapus a chynnes. Roeddwn yn fodlon hefyd ei bod yn cael pob gofal a charedigrwydd yno. Roedd cyfran helaeth o'r gofalwyr yn hanu o Wlad Pwyl a hefyd o Rwmania gan fod problem denu gofalwyr yn lleol. (Felly, er ein bod yn y fro Gymraeg, prin ar y cyfan oedd y siaradwyr Cymraeg.) Gwn fod llawer o'r tramorwyr wedi eu siomi gyda chanlyniad Brexit oblegid teimlent nad oedd croeso iddynt yn y wlad hon mwyach. Deuthum i dros y blynyddoedd i ystyried llawer ohonynt yn ffrindiau, ac euthum ati i ddysgu ychydig o Bwyleg a Rwmaneg er mwyn medru eu cyfarch. Roeddent yn gwerthfawrogi hynny. Y peth sy'n eich taro yw'r modd gwahanol y mae dementia yn gallu taro'r dioddefwyr. Byddai rhai fel Bethan yn colli pob math o ymwybyddiaeth wrth i'r cof ballu ac wrth i'r gallu i siarad ddiflannu. Byddai rhai yn cerdded yn ddi-stop yn ôl a blaen. Roedd un fenyw yn adrodd emynau drwy'r amser ac un arall yn dal i chwarae'r piano. Byddai un neu ddau yn gallu bod yn gas ac yn rhegi, ond roeddwn yn edmygu'r caredigrwydd a ddangoswyd gan y gofalwyr tuag atynt.

Mae'n anodd, serch hynny, cyfiawnhau'r driniaeth wahanol ar gyfer rhai mewn cartrefi gofal sydd ddim yn cael y 'continuing health care' ac o'r herwydd yn gorfod talu. Mae'n bosib bod yna ystadegwyr yn rhywle wedi amcangyfrif bod costau cynnal pob claf â dementia yn gallu bod yn fwy na chostau claf mewn ysbyty yn dioddef o glefydau eraill, oblegid eu bod yn treulio cyfnodau hirach mewn gofal. Felly, mae'n well parhau â'r system bresennol gan osod cyfran sylweddol o'r baich ariannol ar deuluoedd. Mae o fudd i'r pleidiau adeg etholiad addo newid y system, ond pan sylweddolir y gost, mae'r mater yn cael ei anghofio.

Serch hynny, mae'n rhaid cofio bod Egwyddor Coughlan y cyfeiriwyd ati eisoes yn dal i fod yn rhan o'r gyfraith, ac felly nid yw'n gyfreithlon i'r Gwasanaeth Iechyd osgoi'r cyfrifoldeb o dalu am gleifion mewn cartref preswyl sydd ag anghenion gofal iechyd parhaus. Ond yn anffodus, mae'n dal yn anodd diffinio beth yn hollol yw gofal iechyd parhaus, felly, gall hynny arwain at broses hir a chymhleth. Er bod Bethan yn y diwedd yn methu gwneud unrhyw beth drosti ei hunan, mynnwyd nad oedd y diffiniad hwn yn addas ar ei chyfer. Erbyn hyn roedd yn methu bwyta ac yn dibynnu'n llwyr ar fath o iogwrt am gynhaliaeth. Fe allai gymryd cryn amser i'w bwydo â llwy. Ond daliwyd o hyd nad oedd ei chyflwr yn teilyngu'r gofal parhaus. A'r rheswm a roddwyd imi am hynny oedd nad oedd hi'n ddigon 'aggressive'. Gofynnais i un aseswr petai hi'n rhegi'n ddiddiwedd fel y gwnâi ambell un o'r dioddefwyr, a fyddai hynny o fantais? Ni chefais ateb. Ond erbyn hyn roedd wedi colli'r gallu i siarad beth bynnag.

Tua diwedd y drydedd flwyddyn yn y cartref bu'n rhaid i mi ofyn am adolygiad arall. Erbyn hyn roedd ei chyflwr wedi dirywio cymaint nes ei bod hi'n anodd iddynt wrthod. Eto, roeddwn yn dal heb gael canlyniad yr adolygiad a addawyd fisoedd ynghynt.

Yna clywais fod y ddarlledwraig Beti George yn gwahodd sylwadau ar faes yr Eisteddfod Genedlaethol gan berthnasau rhai oedd â dementia. Anfonais lythyr ati yn esbonio fy sefyllfa i a chefais ateb yn syth. Aeth Beti ati i greu rhaglen deledu yn Saesneg yn sôn am y diffygion yn y gwasanaethau gofal dementia, a chefais wahoddiad ganddi i ymddangos yn y rhaglen Gymraeg. Aeth Beti â'i neges at aelodau'r Cynulliad, fel roedd e'r adeg honno, a chafodd dderbyniad gwresog gan rai ohonyn nhw. O leia mae'r swm cyn bod rhaid talu am ofal wedi codi yng Nghymru o £23,000 i £40,000. Yn yr Alban mae costau gofal cymdeithasol a nyrsio yn cael eu hysgwyddo gan y llywodraeth. Yn sicr, mae angen i hynny gael ei ystyried yng Nghymru hefyd.

Bu Bethan farw ar 29 Hydref 2019, ac rwyf newydd gael canlyniad yr adolygiad hwnnw (Mai 2021) ac mae e'n derbyn bod achos Bethan yn un cyfiawn. Ond, fel y profais, nid proses hawdd yw herio'r system. Tasg unig yn aml yw brwydro yn erbyn grym un o asiantaethau'r llywodraeth fel y Bwrdd Iechyd, yn enwedig pan fo mater mor sensitif â gofal dementia yn y fantol. Nid wyf yn beio staff y Gwasanaeth Iechyd am hynny, oblegid mae'r misoedd diwethaf wedi gosod pwysau eithriadol ar bob agwedd o'u gweithgarwch. Ond mae sefyllfa'r cartrefi gofal hefyd wedi bod yn fater o ofid arbennig, wrth i nifer y cleifion a gollwyd ynddynt yn ystod misoedd cyntaf y Covid brofi'n gwbl annerbyniol. Mae'n bosibilrwydd cryf, pan fydd pethau wedi sefydlogi, y daw galwad unwaith eto am roi trefn ar y berthynas rhwng y sector iechyd a'r sector gofal er mwyn dysgu gwersi a gwireddu'r addewidion a wnaed gan lawer o bleidiau a llywodraethau'r gorffennol.

Yn y bryddest 'Glannau' a gipiodd y Goron iddo yn Eisteddfod Genedlaethol y Rhyl 1985, llwyddodd John

Roderick Rees i ddangos effeithiau dementia ar y ddynes a edrychodd ar ei ôl wedi iddo golli ei fam. Mae'n ei chymharu â llong hwylio fregus ar 'drugaredd y gwyntoedd a'r cerrynt croes' ac yna'n

Ymrwyfo, rhwyfo i rywle,
codi o'i chadair,
cynhyrfu, simsanu, syrthio:
dau fyd, dwy lan
a rhyngom y môr...

Ond yna,

Yn ddirybudd
un bore
caewyd cloriau emynau'r cof;
gadael glan a throi eto
i fudandod y môr.

Ni allaf feddwl am well disgrifiad o'r dementia ar Bethan.

CLEFYD CREULON MEWN CYFNOD ANODD

Jayne Evans

Sgwrs gyda Beti George dros Zoom

Af i'n ôl i'r dechre. Ar y 18fed o Ragfyr 2020 dath yr
ail ganlyniad Covid o'dd yn bositif. A fi oedd yr ail un,
yn anffodus. Mae dau achos yn cyfri fel *outbreak*. Felly o'r
diwrnod hynny dechreuodd pethe, a arweiniodd at *mass
testing* yn y cartre ac o hynny gath un ar ddeg o'r pedwar ar
hugain o ddeiliaid ganlyniad positif. Roedd y staff yn cael
eu profi yn wythnosol, ac un neu ddau ar y tro yn profi'n
bositif wedyn, gwaetha'r modd.

Rhwng y 18fed o Ragfyr a'r 18fed o Chwefror 2021
ro'n ni'n gartre 'coch', oedd yn golygu'n bod ni'n methu
derbyn deiliaid newydd i mewn. Roedd e'n amser hir – a
hynny dros gyfnod y Nadolig.

Ro'n ni wedi dilyn y rheolau i gyd. Caewyd y cartre i
ymwelwyr am y tro cynta ar Fawrth y 13eg 2020 – dydd
Gwener y 13eg, dwi'n cofio'n iawn! Ro'n i wedi bod

yn anhwylus ddau ddiwrnod cyn hynny, nid Covid ond blinder ofnadw. Fe ddois i mewn y diwrnod hynny er mwyn cymryd camau i ddiogelu'r cartre. Ac fe lwyddon ni i gadw Covid o'r cartre tan fis Rhagfyr. Ro'n ni'n dilyn canllawie'r llywodraeth i gyd, hyd yn oed yr addurniadau Nadolig. Yn arferol mae Glyn Nest yn llawn addurniadau a choed Nadolig. Felly fe benderfynon ni brynu tair coeden iawn fel ein bod ni'n gallu gwaredu'r rheiny ar ôl y Nadolig. Fe brynes i *baubles* newydd fel ein bod ni'n gallu eu sychu a'u diheintio ar ôl yr ŵyl, er mwyn dilyn y canllawie i gyd.

Nadolig trist iawn oedd hi i fi oherwydd bu raid i'r Cyngor redeg y cartre. Noswyl Nadolig oedd hi, ac ro'n i wedi gorfod mynd adre o'r gwaith, a'r dirprwy hefyd, oherwydd i ni'n dwy ddal Covid. Felly, ar y pryd, doedd neb mwy neu lai yma i reoli'r cartre. Dath y Cyngor i ofalu am y lle dros dro. Dois i'n ôl rhyw fis wedyn, ar Ionawr y 13eg – dwi'n cofio'r dyddiad yn iawn. Wen i wedi cal Covid ac wedi dioddef yn enbyd. Dros gyfnod y Nadolig wedd hi wedi bod yn amser anodd i bawb, yn enwedig y deiliaid. Gofalwyr o *agencies* oedd yn gofalu amdanyn nhw, yn ogystal ag aelodau o staff y cartre oedd heb gael eu taro gan Covid. Do'n nhw ddim yn nabod y deiliaid, a'r deiliaid ddim yn eu nabod nhw. Dyw e byth yn gyfnod dymunol i gal Covid, ond roedd e'n wath byth dros Nadolig. Anodd, anodd iawn.

Pan ddychwelais i'r gwaith yn Ionawr roedd y cartre wedi colli pedwar o'r deiliaid i Covid – dau ohonyn nhw â dementia. Ond nid dim ond rhif neu enw ar y drws y'n nhw, maen nhw'n rhan o'r teulu. Ry'n ni fel teulu bach 'ma. Ma Glyn Nest wedi bodoli ers hanner canrif, ac ry'n ni'n gartre gwahanol i gartrefi erill, achos ry'n ni'n gartre Cristnogol – nid bod rhaid i chi fod yn Gristion i weitho na phreswylio 'ma. Treulies i gyfnod o dair blynedd yn gweitho fel rheolwraig yn un o gartrefi'r Cyngor, ac roedd y plant yn gweud wrtha i, "Sdim y Cyngor yn siwto ti, cer 'nôl i Glyn Nest." A 'nôl des i! Dechreues i fy ngyrfa ar gynllun y YTS fel gofalwraig ifanc, cyn dringo i fod yn rheolwraig yn 1996.

O ran y staff, fe gath ryw ugen ohonyn nhw Covid – pob un yn gorfod hunanynysu am ddeg diwrnod. Rhai wedi'i gal e'n drymach nag eraill, a rhai heb ddangos symptome o gwbl. Ym mis Ionawr gethon ni bump arall yn positif. Ond geson nhw'r prawf PCR ac o'n nhw'n negatif ar hwnnw. Roedd yr awdurdode'n pallu derbyn eu bod nhw'n *false positive*, felly roedd hynny'n golygu ein bod ni'n mynd dau ddeg wyth diwrnod lle ro'n ni eto yn gartre 'coch'. Ath yr amser mlân a mlân.

Roedd ein deiliaid yn gorfod bod ar eu penne eu hunen yn eu stafelloedd. Ac i rywun â dementia, ma hynna'n galed iawn: shwt y'ch chi'n egluro eu bod nhw ddim fod dod mas o'r stafell am o leia pythefnos? Ac roedd pobol â dementia yn dychwelyd i Lyn Nest o'r ysbyty. Os bysen nhw yn eu cartre'u hunen, bysen nhw'n gallu mynd mas i'r gegin, mynd i'r bathrwm, ond fan hyn ro'n nhw'n gorfod aros mewn stafell lle ma *commode* ar eu cyfer, a'r staff mewn *full* PPE. Bydden i'n meddwl bod hynny'n eitha brawychus. Mae wedi bod yn amser anodd iawn iddyn nhw. Dwi ffaelu dychmygu. Pan ges i'r prawf positif, fe ddwedes i wrth y fenyw ar y ffôn, "Plis peidwch meddwl 'mod i'n mynd i aros yn y stafell wely. Alla i byth aros o fewn peder wal." A fel o'n i'n gweud, dros Nadolig oedd y cyfnod pan o'n nhw'n gweld wynebe gwahanol (gan mai gofalwyr yr *agency* oedd yno) – wel, nid wynebe, ond llyged gwahanol. A nage dim ond hynny, ond roedd rhai o'r gofalwyr jyst yn siarad Saesneg. Fel cartre Cymreigedd ma cyfathrebu mewn iaith wahanol yn anodd iawn i rai.

Do'n nhw wrth gwrs ddim yn gallu gweld eu hanwyliaid chwaith. Mynd o gartre oedd yn llawn bwrlwm i gartre mor dawel… Wel, mae wedi bod yn gyfnod ofnadw yng Nglyn Nest. Ry'n ni'n gartre agored, ma drws y swyddfa wastod yn 'gored i bawb, a maen nhw'n gallu dod mewn a mas fel maen nhw'n dymuno. O'n i'n arfer siarad lot â'r teuluoedd ond dwi'n teimlo nawr bod hynna ar ben am y tro. A gwisgo'r mygyde 'ma wedyn – dim ond ein llyged ni maen nhw'n gweld. Wedi bod dros flwyddyn, mae'r deiliaid siŵr o fod wedi anghofio shwt ni'n edrych.

Doedd 'na ddim prinder PPE a phethe fel'ny. Ro'n ni'n

ffodus iawn fan hyn, achos ro'n ni wedi paratoi ar gyfer Brexit. Roedd y pwyllgor wastod yn neud hwyl ar 'y mhen i am bregethu a phregethu: "Gwrandwch nawr, ma'n rhaid i ni gofio am Brexit, ma'n rhaid i ni gofio am PPE, a phethe fel *continence pads*." Felly ro'n ni wedi cal digon o ddeunydd mewn stoc. Pan ddechreuodd y sôn am Covid, roedd rhaid ffonio'r cwmnïe a chal gowns i'r merched, a *headgear* a *footwear* pwrpasol iddyn nhw. Fe wisges i lan un diwrnod yn y *gear* 'ma i gyd, ac ro'n i bron ffaelu anadlu. A meddwl wnes i, shwt ma pobol yn mynd i allu gweitho yn yr holl rigowt 'ma?

Diwrnod ar ôl cyhoeddi'r *lockdown* cynta, roedd pawb yn cwmpo mas ynghylch y defnydd o *toilet rolls*. Wel, ar fore'r *lockdown*, fe ddath delifri o bapur tŷ bach a nath i fi wherthin am fod digon o gyflenwad am fisoedd. Ond erbyn y nos o'n i yn fy nagre am fod y *lockdown* yn realiti a neb yn gwbod beth oedd o'n blaene ni.

Ddechreuon ni ddim yr ymweliadau tu fewn y cartre dros yr haf. Roedd gyda ni babell fawr yn yr ardd – roedd hi cystel â dim. Roedd yr ymwelwyr yn dod i'r ffenest, Skype, Zoom – beth bynnag o'n ni'n gallu neud – ond doedd hynny ddim fel gweld rhywun wyneb yn wyneb, yn enwedig i'r rhai â dementia. Do'n nhw ddim yn deall pam eu bod nhw mas yn y babell, ac yn gorfod cadw pellter. O'n ni'n marco'r tarmac gyda *sheep marker*, ac roedd 'na fwrdd rhwng y deiliaid a'r un neu ddau oedd yn dod i ymweld â nhw. Ond gan fod pawb yn gorfod gwisgo mwgwd roedd y deiliaid yn cael trafferth clywed, a bydde un o'r staff yn eistedd wrth eu hochor i helpu. Ond doedd e ddim cystal ag ishte mewn stafell a chal dished fach o de. Yr hen ffordd Gymreig – ma hynna wedi bennu dros dro, a sai'n gwbod a ddaw e'n ôl byth, a bod yn onest.

Mae'n anodd gweud beth yw'r effeth wedi bod ar y deiliaid. Mae'n anodd gweud be sy'n mynd mlân yn eu meddylie nhw. Ma rhai sydd â dementia wedi dirywio tipyn. Ond pan geson ni'r ymweliad cynta yn y babell fawr, gwraig fach â dementia oedd hi, roedd dagre yn ein llyged ni, achos roedd hi'n wên o glust i glust pan welodd hi ei theulu. Mae'n anodd gweud faint o'n nhw'n sylweddoli am beth oedd pandemig, a beth oedd *lockdown*. Maen nhw bownd o fod wedi'i gweld hi'n rhyfedd heb weld y teulu. Ac ma'r teuluoedd wedi gweld y gwahaniaeth yn eu cyflwr, rhai wedi gwaethygu yn eu golwg falle, ac yn feddyliol.

Bu dau o'r deiliaid â dementia farw o Covid. Wrth ddod at ddiwedd eu hoes, o'n ni'n caniatáu i'r teulu ymweld trwy ddrws y ffrynt, ac yn eu gorfodi i wisgo'r PPE llawn, ac ro'n ni'n cymryd eu tymheredd nhw – gorchwyl anodd. Os oedd rhywun yn ofnadw o sâl, roedd croeso i'r teuluoedd aros dros nos. Felly roedd hi'n bwysig bod hynna'n parhau i ddigwydd. O'n ni'n dilyn canllawie'r llywodraeth, ond roedd e'n bwysig i'r teulu ac i'r person oedd ar fin marw eu bod nhw'n gallu bod 'na ar y diwedd.

Ar un cyfnod, roedd rhaid i'r deiliaid aros yn eu stafelloedd, ond roedd un person â dementia yn mynnu dod mas drwy'r amser. Roedd hi'n cal caniatâd i fynd am wâc fach a dod 'nôl, a wedyn roedd hi'n gysurus. Os bysech chi'n gweud wrthyn nhw bod rhaid aros yn y stafell, bysen nhw wedi anghofio'r gorchymyn y funud nesa. Roedd rhaid bod yn realistig, a defnyddio synnwyr cyffredin.

O fis Mawrth i fis Rhagfyr 2020, dim ond un person dderbyniwyd i'r cartre, achos o'n i'n gwbod bod risg i'r clefyd ddod mewn 'ma. O'n i hefyd yn gorfod bod yn ofalus pwy i gymryd mewn, oherwydd y risg o ddal y clefyd, ac os o'n ni'n cymryd rhywun â dementia bydde lefel y gofal yn uwch ac yn ychwanegu at lefel y risg. Ond ar ôl blwyddyn anodd ry'n ni wedi dysgu mwy a chal mwy o hyder. Ac ma'r meddygon a'r nyrsys, a'r llywodraeth wedi dysgu mwy, ac ry'n ni'n dal i ddysgu.

Mae pawb wedi blino. Fel rheolwraig, ac wedi diodde o Covid, alla i weud 'mod i'n teimlo 'mod i wedi gadel pobol lawr. Ro'n ni wedi dilyn pob canllaw, felly shwt ddath e i'r cartre yn y lle cynta? O ran y staff, rhaid trio cadw'r morâl yn uchel. Ry'n ni'n edrych mlân at gal trefnu parti rhyw ddiwrnod, achos ddaethon ni ddim i ben â dathlu'r 50 mlynedd ers sefydlu'r cartre fel ro'n ni wedi bwriadu yn 2020.

Ond dwi'n mwynhau edrych ar ôl pobol â dementia yn fawr iawn. Dwi wedi bod 'ma ers blynydde – gallen i weud lot o storie wrthoch chi, storie diddorol iawn! Ar hyn o bryd ma gyda ni bobol sydd â dementia, ac eraill sydd heb, sy'n caniatáu iddyn nhw allu cal sgwrs. Dwi'n credu'n gryf bod sgwrsio yn arafu cynnydd y clefyd. Maen nhw'n canu emyne heb unrhyw lyfr – maen nhw'n gwbod pob gair.

Mae'r deiliaid sydd â dementia yn derbyn yr un gwasanaeth a'r un gofal â'r rheiny sydd heb y cyflwr. Ond mae o gymorth i ni gael gwybodaeth am eu cefndir. Roedd un cymeriad hoffus gyda ni, ac ath e mewn i gar un o'r staff.

"Wi'n mynd i odro," medde fe. "Fydda i ddim yn hir."

Lwcus nad oedd yr allwedd yn y car.

"Dyma brawf i chi nawr," wedes i wrth y ddwy ofalwraig oedd wedi cal hyfforddiant dementia. "Be chi'n mynd i neud ag e?"

Llwyddodd y ddwy i'w berswadio trwy siarad ag e am rywbeth arall, felly roedd yr hyfforddiant wedi talu ar ei ganfed.

Ry'n ni wedi buddsoddi tipyn o arian i drefnu hyfforddiant gofal dementia i'r staff. Ma rhai cleifion yn gallu troi'n heriol, yn taro neu'n crafu, ond ma rhaid cadw pen. Ambell waith ma rhaid i chi sefyll yn ôl, a rhoi lle iddyn nhw. Eu gadel, a mynd 'nôl atyn nhw mewn rhyw ddeg munud i weld a ydi pethe wedi tawelu. Erbyn hynny maen nhw wedi anghofio.

Ma llais yn bwysig – y *tone of voice* – a pha iaith maen nhw'n fwya cyfarwydd â hi, ac yn fwya hapus yn ei siarad. Pan dwi'n delio â sefyllfa, ma rhaid i fi ddelio â hi'n glou. Dyw'r *textbook* ddim gyda fi, ond dwi'n nabod y bobol, a'r ffordd ore i siarad â nhw. Os oes cefndir ffarmo, wel, siarad am y defed, a defed y mab – pethe fel'ny. Mae'r person yn tawelu. Dwi'n cofio un wraig fach oedd wedi colli ei phartner a defnyddies i'r broses o drio dod â hi'n ôl i realiti. Fe geson ni sgwrs yn y swyddfa a wedd hi'n gofyn ble oedd ei phartner hi wedi mynd.

"Gwranda nawr," wedes i wrthi, "ti'n cofio'r ledi yn mynd â ti i lan y bedd i weld y coffin yn mynd lawr?"

Fe lefodd hi gyda fi trw'r prynhawn, ac fe sylweddoles i nad hynna oedd y ffordd iawn i ddelio â'r sefyllfa. Ma rhai *textbooks* yn gweud 'bring them back to reality', ond ma'r olygfa 'na wedi glynu yn fy meddwl i. Na, nid fel'na ddylen i fod wedi trin y sefyllfa ar y pryd.

Dwi'n credu bod nifer o bobol yn meddwl bod y gwaith o ofalu yn waith rhwydd ond dyw e ddim, yn gorfforol nac yn feddyliol. Ma ambell aelod o staff newydd yn dod weithie, ac yn gadel o fewn amser byr. Dwi'n teimlo bod rhaid i chi gal eich geni â'r awydd i ofalu am bobol – rhyw fath o reddf naturiol. Does dim modd ei ddysgu. Os nad yw e yndoch chi, allwch chi anghofio'r math hyn o waith, achos chi ddim yn ei neud e am yr arian. Chi'n ei neud e *for the love of the job*.

Mae'n go anodd cal staff sy'n siarad Cymraeg. Ma pob cartre arall yn chwilio am rai hefyd. Ac ma tri chwarter ein deiliaid ni yng Nglyn Nest yn siarad Cymraeg. Ma'n bwysig gallu cyfathrebu yn y ddwy iaith. Ma'r iaith Gymraeg yn bwysig iawn yn yr ardal 'ma, yn enwedig i rywun sydd â dementia. Ma rhai wedi colli'r gallu i siarad Saesneg oherwydd y cyflwr a dwi'n meddwl bod e mor bwysig bod rhywun yn gallu siarad Cymraeg â nhw. A dwi'n credu bod e'n eu helpu nhw gyda'r dementia. Ma siarad iaith sydd yn anghyfarwydd iddyn nhw yn gallu eu drysu. Un enghraifft o'r ffordd ore o ddefnyddio'r iaith yw gweud rhywbeth fel, "Dere bach, dere 'da fi nawr" – a ma hynna'n eu cysuro a'u tawelu.

Ry'n ni'n gofyn mewn cyfweliad am swydd a ydy'r ymgeisydd yn gallu gweud rhai termau syml fel 'bore da, nos da, bola tost, pen tost…' Ac ma rhaid gweud am y staff newydd sy ddim yn siarad Cymraeg, maen nhw'n dda iawn am ddysgu'r *basics*. Dy'n ni ddim yn disgwl iddyn nhw siarad yr iaith yn rhugl, achos dyw hi ddim yn iaith rwydd i'w dysgu. Ma dosbarthiade ar gal i'r rhai sy'n awyddus i ddysgu mwy.

Fe fyse hi dipyn haws recriwtio staff pe bysen nhw'n cal mwy o gyflog. Mae pobol yn disgwl lot mas o staff gofal. Maen nhw'n gorfod neud diploma, sy'n beth da, a neud yr *induction* gynta, sy'n para chwe mis, a wedyn yr *induction framework* – sy'n torri calonne nifer o aelodau staff newydd.

Mewn lle fel hyn, ma lot o bobol sy falle wedi rhyw hanner ymddeol yn eu pumdege a sydd isie cwmni, a mynd mas o'r tŷ falle i neud cwpwl o orie'r wthnos, ond os oes rhaid cal yr holl hyfforddiant, dy'n nhw ddim yn mynd i ddod, neu ddim yn mynd i aros yn hir

Mae'n bleser cal edrych ar ôl pobol â dementia, i fod yn onest. Maen nhw'n bobol annwyl iawn. Ma fe'n gyflwr creulon, ac wrth heneiddio ma dyn yn meddwl, odi e'n mynd i daro fi 'te? Neu odw i'n mynd i fod yn lwcus...?

Y SÊR TAWEL
YN EIN MYSG

Dr Catrin Hedd Jones

Cefais gyfle i fynd i gynhadledd ryngwladol ar Alzheimer's yn Siapan yn 2017 ac ymweld â Kotoen yn Tokyo am un bore cyn hedfan adref, sef canolfan gymunedol sy'n darparu gofal i blant a henoed gyda'i gilydd. Roedd y cwmni teuluol wedi hen arfer dangos beth roedden nhw'n ei ddarparu yn y gymuned i ymwelwyr o bob rhan o'r byd. Ers y 1970au maent yn croesawu babanod a phlant i'r feithrinfa cyn iddynt symud i'r ysgol. Hefyd mae oedolion yn gallu mynychu canolfan ddydd ac aros yno i gael gofal nyrsio. Bob bore, mae'r oedolion yn cael dewis a ydyn nhw am ymuno â gweithgareddau efo'r plant. Cymuned o dan yr un to, a theimlad fod hyn yn beth naturiol, gan wneud i mi gwestiynu pam ein bod ni fel cymdeithas yma yng Nghymru wedi symud i gadw'r oedrannau ar wahân.

Mae'n debyg fod fy mhrofiadau i o weld sut mae dementia yn gallu effeithio ar bobl yn dod o weld y ddwy nain yn profi heriau nad oeddwn yn eu deall yn wirioneddol tra oeddwn yn fy arddegau ac wrth ddechrau magu teulu fy hun. Wedi iddi gael sawl 'strôc fach', roedd mam fy mam, Maud, yn cael trafferth cofio geiriau penodol ac yn ymwybodol o'r effaith roedd hyn yn ei gael ar ei llawysgrifen raenus. Er ei bod yn ymwybodol o'r camgymeriadau byddai'n derbyn gyda gwên, ac wrth drin y peth yn ysgafn roedd hynny'n help i bawb oedd ddim yn siŵr sut i ymateb.

Ar y pryd roedd mwy o sôn am drafferthion efo'r galon yn nheulu ochr fy mam, ac o edrych yn ôl roedd risg uwch o ddementia fasgiwlar oherwydd diffyg cyflenwad gwaed i'r ymennydd. Roedd Maud yn ddynes pobl a byddem wrth ein boddau yn edrych ar y bwydydd melys fyddai ganddi yn y 'war chest' (cwpwrdd bwyd). Mae'r arferiad o sicrhau bod digon o fwyd yn y cwpwrdd wedi parhau gyda fy mam a minnau.

Roedd mam fy nhad, Dilys, yn byw efo polio ers iddi fod yn fam ifanc. Y cof pennaf sydd gen i o Nain Rhianfa oedd y gwaith crosio y byddai byth a beunydd yn ei wneud i ni fel anrhegion pen-blwydd, a'r swper blasus a darbodus y byddai'n ei baratoi yn y grât. Dwi'n cofio gofyn iddi ddangos imi sut i wneud sgons. Roedd presenoldeb Nain yn bwysig ym mhartïon pen-blwydd ein plant, er dwi'n siŵr bod y sŵn yn fyddarol iddi.

Wedi blynyddoedd maith o fyw yn annibynnol dechreuodd gael ambell i 'godwm' lle'r oedd yn gleisiau byw. Felly symudodd i fyw at deulu fy modryb am rai blynyddoedd. Yna, erbyn i'm meibion ddechrau cael gwersi nofio yn Llanrwst, roedd Nain bellach mewn cartref gofal dafliad carreg o'r pwll yng Nghartref y Borth. Byddwn yn mynd draw efo'r tri mab i'w gweld yn eithaf aml. Roedd trigolion y cartref yn groesawgar, a'r plant efallai yn ddigon ifanc i ymddwyn yn eithaf naturiol. Wrth i'r dementia ddwysáu, roeddwn yn dal i fynd draw efo'r hogiau a hwythau rhwng saith ac un ar ddeg oed. Roeddent yn amlwg yn gweld newid yn Nain ac yn dangos consýrn wrth i'r ymatebion ganddi fynd yn llai amlwg, ond Nain oedd yn dal yn y gwely. Roedd Nain yn ei nawdegau yn ein gadael ac nid wyf yn difaru o gwbl i mi barhau i ymweld â hi dros y cyfnod roedd hi yn y cartref gofal. Os rhywbeth, rwy'n difaru nad oeddwn wedi mynd yn amlach ond dyna ni, fedrwn ni byth droi'r cloc yn ôl.

Wrth edrych yn ôl, doedd y gair 'dementia' ddim yn cael ei ddefnyddio wrth ddisgrifio'r hyn oedd yn digwydd i'r ddwy nain yn ein teulu ni. Rwy'n amau nad yw hyn yn beth anghyffredin o fewn ein cymunedau Cymreig, a dim ond wrth drafod a dysgu mwy am ddementia y gallwn dorri'r arferiad yma o gywilyddio am y salwch.

Wedi i'r mab ieuengaf fynd i'r ysgol cefais gyfle gwych i astudio cwrs ar gyfer rhieni yn eu blwyddyn gyntaf o fagu – fel rhan o'm PhD – ac yna symud i swydd fel ymchwilydd efo'r Athro Bob Woods a Gill Windle ym Mhrifysgol Bangor, mewn adran sydd yn astudio sut i gefnogi pobl wrth iddyn nhw fyw efo dementia. Buan iawn y gwelwn mai pobl ydy pobl, beth bynnag yw'r heriau maen nhw'n eu hwynebu. Wrth arsylwi mewn grwpiau celf wythnosol ar yr aelodau yn ymlacio a mwynhau yng nghwmni ei gilydd, roeddwn yn dod i weld y person yn hytrach na'r label dementia. Mae'r cyfle yma'n parhau yn Sir Ddinbych dan y cynllun Ymgolli mewn Celf, ac uchafbwynt y rhaglen yw pan fo plant ysgol gynradd leol yn ymuno efo'r oedolion i gyd-greu darn o gelf sydd yn cael ei arddangos i'r cyhoedd. Roedd y plant i gyd wedi derbyn sesiwn ymwybyddiaeth dementia cyn cwrdd â'r oedolion a dywedodd un wrtha i, wrth holi am ei phrofiadau: "Dyw beth fydda i'n creu ddim yn bwysig mewn gwirionedd, rwy wedi gwneud ffrind."

Un diwrnod cefais wahoddiad gan Bob Woods i gwrdd â chyfarwyddwyr cwmni teledu lleol oedd wedi cysylltu i ofyn am sgwrs. Roedd Arwyn Davies a Clare Jones wedi gweld rhaglen ar y we yn America lle'r oedd plant ac oedolion yn treulio amser gyda'i gilydd. Cafodd y cwmni gefnogaeth gan S4C a SONY i greu cyfle o'r fath yng Nghymru ar gyfer rhaglen deledu. Fel ymchwilydd sydd wedi astudio pobl ar gyfnodau o newid, ac fel mam, roedd hyn yn teimlo fel cyfle difyr. Daeth Dr Nia Williams o'r Ysgol Addysg i drafod beth fyddai'n gweithio a dyma gyd-greu'r gyfres *Hen Blant Bach*.

Dim ond tridiau o ffilmio oedd yn bosib, a gydag ychydig o wybodaeth am natur y chwe phlentyn fyddai'n dod ar y rhaglen a hanes y trigolion oedd yn mynd i'r ganolfan ddydd, dyma gynllunio beth fyddai'n gweithio i roi profiad buddiol i bawb. Roedd rhoi dewis i'r oedolion i fod yn rhan o'r profiad neu beidio yn bwysig ac er bod rhai yn bryderus, buan iawn roedd y pryder yn cael ei anghofio wrth iddynt ganolbwyntio ar y plant.

Y nod ar gyfer y diwrnod cyntaf oedd cyflwyno'r plant fel grŵp i'r safle ac i'r oedolion wrth iddynt ymgyfarwyddo. Wedi bore o gydchwarae roedd rhai o'r oedolion yn ysu am gael sgwrsio efo'r plantos. Yna dyma amser cinio'n cyrraedd, a difyr oedd gwylio ambell oedolyn yn helpu'r plant i fwyta. Wedi prynhawn o ganu a gweithgaredd mewn ystafell ar y cyd roedd y plant yn cael cyfle i fynd i gydchwarae efo gofalwyr o'r feithrinfa cyn ailymuno â'r oedolion hŷn, ac roedd yn ddiddorol eu gweld yn dewis ymuno â'r dynion wrth symud i'r lolfa ar ôl cinio.

Erbyn yr ail ddiwrnod roedd yn bwysig rhoi cyfle i'r rhai llai amlwg mewn grŵp i gymryd rhan, a hynny heb unrhyw fath o gystadleuaeth. Felly dyma roi cyfle i barau o blant ac oedolion gael treulio amser ar weithgaredd lle byddai angen iddyn nhw gydweithio. Roedd cynllunwyr y rhaglen wedi aildrefnu ystafell yn y ganolfan ddydd er mwyn ei gwneud yn groesawgar i'r ddau oedran. Wrth ymgynnull ar gyfer y diwrnod olaf cafwyd cyfle i ddathlu'r hyn roedd pawb wedi ei brofi wrth gael treulio amser gyda'i gilydd. Roedd Nia a finnau'n gwylio'r digwyddiadau o'r ochr neu mewn ystafell gyda sgrin, ac yn rhoi sylwadau wrth i ni weld yr 'arbrawf' yn datblygu. Go brin y bydden ni wedi rhagweld bod treulio cyn lleied o amser efo'i gilydd wedi bod mor bwerus.

Wedi i ni gael cais i greu cyfres o raglenni *Hen Blant Bach* bûm yn ffilmio mewn pedair cymuned a phrofi'r hud pan mae plant a phobl hŷn yn cael y cyfle i dreulio amser gyda'i gilydd. Erbyn hyn roedden ni wedi cael amser i drefnu ymchwil ar y cyd â'r ffilmio, a gwelsom fod yr oedolion hŷn yn gwirioneddol fwynhau'r cyfle, a'r plant hefyd yn dysgu cymaint am brofiadau pobl o genhedlaeth arall, gyda sylwadau'r plant yn dangos chwilfrydedd a'u gallu i dderbyn yr hyn sydd o'u cwmpas yn well nag oedolion yn aml.

Gan ein bod yn gweithio mewn adran sydd yn ceisio gwella'r ddarpariaeth a'r dealltwriaeth o sut i gefnogi pobl sydd â dementia, roedden ni'n gobeithio y byddai cwmni teledu yn trafod y salwch. Yn naturiol, roedd y rhesymau dros fynychu canolfan ddydd yn amrywio, ond wrth i ni greu rhaglen cyfrwng Saesneg i BBC1 Cymru daeth cyfle i ymweld â chanolfan sydd yn darparu gofal dydd a chartref i breswylwyr sydd yn byw efo dementia, gan greu *The Toddlers Who Took on Dementia*.

I mi, y rhai sydd ar y cyrion sydd wedi serennu wrth i ni ddod â'r cenedlaethau ynghyd. Roedd y gofalwyr yn bresennol pan oedden ni'n ffilmio'r gyfres, ond gofynnon ni iddyn nhw gamu'n ôl er mwyn rhoi cyfle i'r oedolion arwain y gweithgareddau. Yn aml iawn bydd pobl yn encilio ar ôl derbyn diagnosis o ddementia. Does neb wedi dewis y siwrnai yma, ac mae mor bwysig cofio nad yw diagnosis yn golygu eu bod wedi newid dros nos na cholli'r gallu i ddeall a chyfleu emosiwn.

Mae diddordeb yn bendant mewn datblygu'r cyfleoedd yma i ddod â'r cenedlaethau ynghyd. Er enghraifft, Gofal Dydd y Waen, lle mae'r rhai sydd yn dod i dderbyn gofal yn arwain y gweithgareddau gyda chefnogaeth gan wirfoddolwyr. Ac mae Cyngor Gwynedd wedi penodi Mirain Llwyd Roberts yn Swyddog Pontio'r Cenedlaethau. Mae'r manteision yn amlwg, gyda disgyblion o ysgolion cynradd ac uwchradd a cholegau wedi dangos bod dod i adnabod a gwerthfawrogi pobl hŷn yn brofiad gwerth chweil sydd yn magu sgiliau cyfathrebu a chodi hyder.

Gyda chymaint o'n teuluoedd ar wasgar, gall meithrin cyfleoedd fel hyn roi'r modd i bawb ddathlu a rhannu eu doniau. Rydym fel cenedl wedi hen arfer gweld plant yn mynd i gartref gofal i berfformio cyn eisteddfod neu adeg y Nadolig. Os ydym am fyw mewn gwlad sydd yn gwerthfawrogi'r unigolyn yn hytrach na'r dementia, rwy'n gobeithio yn y dyfodol y bydd meithrin perthynas fel hyn rhwng y cenedlaethau yn cael ei weld fel rhywbeth naturiol a phwysig yn ein cymdeithas, ac y gwelwn ganolfannau o fewn ein cymunedau sy'n rhoi croeso i bob oedran, yn hytrach na chadw pawb ar wahân.

GOFAL DYDD

Yr Athro Mari Lloyd-Williams

Yn 2010 daeth grŵp bach ohonon ni o'r capel a'r gymuned yn Llanelwy, Sir Ddinbych, at ein gilydd i drafod beth allen ni ei wneud i helpu'r rhai o bob oed oedd yn ei chael hi'n anodd gadael eu cartrefi oherwydd salwch hirdymor a sut i gefnogi eu teuluoedd. Roedd y syniad wedi bodoli ers tipyn, wedi i rywun lleol yn ei wythdegau fynd i ganolfan gofal dydd mewn tref gyfagos a chael y profiad yn anodd – roedd yn cael ei chyfarch wrth ei henw cyntaf (Mrs neu Anti fuodd hi i bawb erioed) a'r unig adloniant ar wahân i eistedd ac edrych ar bawb arall oedd gêm o Bingo, a phrin fod unrhyw Gymraeg i'w glywed. Penderfynodd ddychwelyd adref ac na fyddai'n mynd i unrhyw ganolfan gofal dydd byth eto. Nid yn unig roedd yr iaith yn estron i un oedd yn Gymraes i'r carn ond hefyd, ac yn bwysig iawn, roedd y diwylliant yn estron hefyd.

Roedd ganddon ni estyniad bach i'r capel, toiled a chegin fach iawn, dim arian ond llawer o frwdfrydedd a phenderfyniad i geisio gwneud gwahaniaeth, a hyn gyda phawb yn cyfrannu'n wirfoddol i redeg Gofal Dydd a hefyd ei gynnal yn ariannol. A dyna ddechrau Canolfan Gofal Dydd Gymunedol y Waen.

Roedden ni am gynnig gofal holistig oedd yn ceisio rhoi gofal i'r corff ac i'r enaid, a dros y blynyddoedd mae nifer enfawr o unigolion a theuluoedd wedi tystio nid yn unig i'r gofal ymarferol a'r llu o weithgareddau sydd yn cael eu cynnal o fewn muriau Gofal Dydd, ond hefyd i'r ffaith bod y gwirfoddolwyr gwych sydd gyda ni o wythnos i wythnos yn gwybod sut i sgwrsio ond yn ogystal (ac yn bwysicach) yn gwybod sut i wrando. Ac mae'r gwrando yma wedi helpu gymaint o'r rheiny sydd yn dod aton ni mewn cyfnodau ofnadwy o anodd yn eu bywydau.

Roedd Mehefin 9, 2011 yn ddiwrnod mawr i ni gan mai dyma'r diwrnod yr agorwyd y ganolfan. Nid oedd unrhyw ffŷs nac agoriad cyhoeddus ond aethon ni ati yn dawel o'r cychwyn cyntaf i roi diwrnod gwahanol i'r rhai sydd yn dod yma a diwrnod o ysbaid i'w teuluoedd. Rydyn ni'n ymwybodol iawn bod 90% ohonyn nhw ddim yn gadael eu cartrefi heblaw i ddod aton ni, ac felly rydyn ni'n ceisio rhoi'r diwrnod gorau posib iddyn nhw'n ddi-ffael o wythnos i wythnos. Yn ddiddorol iawn, yn yr wythnosau cyn agor bu i ni gysylltu â gwahanol fudiadau i sôn am ein bwriad, a hefyd gydag unigolion oedd efallai heb fod yn dda eu hiechyd, a dim ond dau oedd yn ddigon dewr i ddod ar y diwrnod cyntaf un. Ond ers hynny dydyn ni ddim wedi gorfod hysbysebu i gael rhai aton ni, er ein bod wrth gwrs yn atgoffa'r gymuned a'r gwasanaethau iechyd a gofal am ein bodolaeth. Mae ein henw da yn sicrhau bod pobl yn cael eu cyfeirio aton ni ac yn awyddus i ddod.

Mae ein diwrnod yn para o 10.30 i ryw 3 y pnawn, ond fe all fynd yn dipyn hirach. Yn ddibynnol ar ble maen nhw'n byw, mae rhai'n cael eu casglu tua 9.30 a ddim yn dychwelyd adref tan tua 4.30. Mae nifer yn mwynhau cael bod ar y bws anabl a danfon eraill adref – mae'n dod ag atgofion o ffrindiau a theuluoedd oedd yn byw mewn gwahanol ardaloedd a hefyd yn gyfle i gael sgwrs a chadw eu 'diwrnod allan' am gyfnod mor hir â phosib. Ac yn bwysig hefyd, mae'r diwrnod yn rhoi dros chwe awr i'w gofalwyr, ac i lawer, dyma'r unig ysbaid maen nhw'n ei gael drwy'r wythnos.

Trefn y diwrnod ydy paned a thost ar ôl cyrraedd a chyfle i ddal i fyny gyda ffrindiau. Bydd rhyw fath o weithgaredd yn y bore ac yna, amser cinio – pryd go iawn o ginio a phwdin wedi ei goginio yn ffres – gan gofio eto mai brechdanau a chawl ydy'r cinio arferol i nifer. Hefyd, mae bwyta gydag eraill yn annog pobl i fwynhau eu bwyd a bwyta'n well. Yn y prynhawn bydd gweithgaredd arall, a the a chacen cyn mynd adref. Does dim rhaid i neb gymryd rhan yn y gweithgareddau – mae'n iawn iddyn nhw eistedd yn dawel a gwylio neu ddarllen llyfr neu bapur newydd – ond mae'r rhan fwyaf yn ymuno, a'r rhai mwyaf tawel yn penderfynu eu bod am fentro cymryd rhan. Mae ystod eang o weithgareddau – peintio neu arlunio, gwaith crefft, garddio, trefnu blodau, sgyrsiau, cyngherddau, coginio, pobi bara, Tai Chi, triniaethau amgen, trin gwallt – mae unrhyw beth yn bosib! Ers y dechrau rydyn ni wedi ceisio helpu pawb sydd mewn angen ond yn rhoi blaenoriaeth i'r sawl sy'n byw mewn ardaloedd gwledig; rhai sy'n cael gofal gan gymar neu aelod o'r teulu, fel bod y gofalwyr hynny yn cael ysbaid wythnosol cyson; a phobl iau sydd yn byw gyda salwch hirdymor gan ein bod yn rhoi gofal arbennig i bobl iau. Mae mor bwysig bod y rheiny'n gallu bod gyda rhai eraill o'r un oed ac mewn awyrgylch Gymreig.

Ers 2011 rydyn ni wedi gofalu am dros 250 o unigolion o bob oed, a'u teuluoedd. Daw nifer trwy'r gwasanaethau cymdeithasol a'r nyrsys cymunedol, ac eraill trwy deulu a ffrindiau. Rydyn ni'n derbyn pobl gyda salwch fel canser, clefyd Parkinson, dementia, strôc, MS, MND (motor neurone disease), clefyd y galon, deialysis, ac ers y cychwyn mae rhai yn eu pedwardegau a'u pumdegau wedi bod yn dod, ac mae tri dan 50 oed gyda ni ar hyn o bryd. Dylid pwysleisio nad canolfan i rai â dementia yn unig ydy hon ond mae nifer sydd â dementia yn dod yma. Rydyn ni wedi gweld dros y blynyddoedd bod canolfan lle mae croeso i rai o bob oed a gyda gwahanol anhwylderau yn gweithio'n dda. Mae pawb yn ceisio helpu ei gilydd a phawb yn teimlo fod ganddyn nhw ran i'w chwarae – ni ddylem segregeiddio pobl o ran anabledd, afiechyd nac oedran. Rydyn ni angen ein gilydd ac mae hynny mor wir yn 2021 ag yr oedd yn 2011.

Yn 2016 bu'n rhaid i ni agor am ddau ddiwrnod yr wythnos gan fod cymaint o alw am ein gwasanaeth. Gallwn gynnig dau ddiwrnod o ofal i rai sydd ddim mor dda neu mewn sefyllfa deuluol anodd. Ers tair blynedd mae *crèche* i blant lleol rhwng 2 a 4 oed yn rhannu gweithgareddau gyda'r ganolfan – yn wahanol i'r rhaglenni teledu sy'n trefnu arbrawf am wythnos neu ddwy, mae'r *crèche* yn agored bob wythnos, a'r berthynas agos iawn rhwng yr hynaf a'r lleiaf yn hollol amhrisiadwy.

Rydyn ni'n credu ein bod yn unigryw yng Nghymru gan mai gwirfoddolwyr wedi derbyn hyfforddiant ydyn ni i gyd. Mae ein gwirfoddolwyr yn dod o wahanol gefndiroedd, rhai wedi ymddeol ond eraill yn gweithio. Mae rhai â chefndir mewn iechyd a gofal a rhai wedi gofalu am aelodau o'u teuluoedd trwy salwch anodd, ac wedi ennill cymhwyster nad oedden nhw erioed eisiau ei gael. Y cymwysterau angenrheidiol i wirfoddoli yw calon gariadus, agwedd agored a'r gallu i gadw cyfrinach. Mae'r gymuned Gymraeg yn un fach ac mor bwysig ac mae pawb sydd yn dod aton ni, a'u teuluoedd, yn gwybod nad yw eu problemau'n cael eu trafod y tu allan i furiau'r ganolfan.

Rydyn ni'n rhoi gofal i rai o bob ardal o Sir Ddinbych a hefyd ardaloedd gwledig o siroedd Conwy a Fflint. Rydyn ni'n talu cwmni Dialaride sydd yn rhedeg gwasanaeth cludiant i'r anabl i gludo pawb o ddrws i ddrws. Mae nifer fawr yn dod o ardaloedd gwledig, a heb y gwasanaeth yma sy'n gallu cludo cadeiriau olwyn ni fyddai nifer fawr yn gallu dod aton ni.

Rydyn ni'n rhoi gofal tan y misoedd, yr wythnosau, ac mewn rhai achosion, hyd at ddyddiau olaf bywyd – cyn belled â'n bod yn gallu gofalu, mae croeso i rai barhau i ddod aton ni. Rydyn ni'n cefnogi teuluoedd sydd yn gofalu 365 diwrnod y flwyddyn – mae'r cyfrifoldeb o ofalu am rywun arall yn enfawr ac rydyn ni'n falch bod teuluoedd yn teimlo eu bod yn gallu codi'r ffôn, anfon e-bost neu alw i mewn am sgwrs, cyngor a chymorth, a gobeithio'n fawr y gallwn groesawu teuluoedd eto yn fuan iawn pan fydd cyfyngiadau Covid ar ben.

Mae 2020/2021 wedi bod yn heriol iawn i ni. O agor o wythnos i wythnos ers 2011 a dim ond wedi gorfod cau yn annisgwyl ddwy waith oherwydd eira, roedd gorfod cau yn ddirybudd, heb wybod sut a phryd y gallen ni ailagor, yn anodd i bawb. Bu i ni ailagor ym mis Medi 2020, gan groesawu grwpiau o chwech bob wythnos a lleoli Gofal Dydd yn y capel yn hytrach na'r estyniad. Mae'r nenfwd uchel a nifer o fentiau aer (drafftiau naturiol sydd ym mhob capel ac eglwys!), ynghyd â chadw'r adeilad yn gynnes ond gan sicrhau fod ffenestri a drysau ar agor drwy'r amser, yn golygu ein bod wedi gallu cadw'n ffrindiau annwyl a'r gwirfoddolwyr yn gwbwl ddiogel yn y cyfnod pan nad oedd neb wedi derbyn brechlyn.

Ers y cychwyn dydyn ni ddim wedi gofyn am swm o arian i fynychu Gofal Dydd, ond mae'r rhan fwyaf yn rhoi rhodd tuag at y costau o £40 y person y diwrnod. Mae bellach yn costio £30,000+ y flwyddyn i ni i gynnal Gofal Dydd a rhaid ceisio codi arian yn gyson.

Gwersi cynnal mudiad gwirfoddol Gofal Dydd dros 10 mlynedd

Cyn i ni gychwyn Gofal Dydd, cafwyd nifer o drafodaethau gyda gweithwyr gwasanaethau cymdeithasol a gweithwyr iechyd, a mudiadau gwirfoddol lleol. Roedd pawb yn ddieithriad yn annwyl a charedig ond gwir fyddai dweud nad oedd neb yn barod i gynnig cymorth ariannol nac ymarferol i ni. Mae Cicely Saunders, wnaeth gychwyn hosbis St Christopher's yn Llundain yn 1967, yn sôn mewn llyfr na fyddai'r hosbis wedi gweld golau dydd o gwbwl petai wedi disgwyl i gynghorau Llundain a'r byrddau ysbytai lleol ei helpu. Gwir dweud bod amryw o gyrff cyhoeddus yn amheus iawn wrth glywed y gair 'gwirfoddolwyr'. Yn ystod y cyfnodau clo, rydyn ni fel cymdeithas wedi gweld gwaith eithriadol gwirfoddolwyr mewn sawl maes a chlywed eu storïau – nid rhyw unigolion dibrofiad wedi disgyn o'r lleuad ydyn nhw ond pobl garedig, gariadus sydd yn aml yn bobl brysur gyda galwadau gwaith a theulu ond sydd eisiau cyfrannu rhywbeth tuag at les eu cyd-ddyn. Felly hefyd yn hanes Gofal Dydd y Waen.

Dydy mudiadau fel Gofal Dydd, sydd yn llwyr ddibynnol ar wirfoddolwyr, fel rheol ond yn goroesi rhyw 2–4 blynedd – mae'r baich o gynnal gwasanaeth o wythnos i wythnos a chodi'r cyllid i wneud hyn yn enfawr. Byddai'n dda cael cydnabyddiaeth o hyn gan gynghorau sir. Mae cael cefnogaeth yn gwneud gwahaniaeth, yn enwedig pan mae gwasanaeth fel Gofal Dydd yn arbed miloedd i goffrau'r Cyngor gan y byddai angen gofal o sector y Cyngor ei hunan neu wasanaeth preifat.

Cymraeg yw iaith Gofal Dydd, ond rydyn ni hefyd yn darparu gofal ysbaid yn y cartref i rai di-Gymraeg. Mae iaith a diwylliant mor bwysig ac yn bwysicach fyth pan fo pobl yn wael ac angen clywed eu mamiaith. Ychydig iawn, iawn o sylw mae gwasanaethau gofal a iechyd yn ei roi i hyn ac yn aml clywir fod rhyw wasanaeth yn 'ddwyieithog' ond y cyfan a olygir wrth hynny yw bod un neu ddau o'r staff yn medru dweud "Bore da". Mewn unrhyw wasanaeth, yn enwedig y rhai sydd yn cael eu cynnal mewn ardaloedd llai gwledig, mae'n debygol mai Saesneg fydd y brif iaith a dyna felly fydd iaith y gofal, y gweithgareddau a'r sgwrs. Rhaid mynnu bod gofal yn yr iaith Gymraeg ar gael i bawb sydd ei angen... ac efallai fynnu hefyd bod cynghorau ac awdurdodau yn gwneud popeth o fewn eu gallu yn ariannol ac yn ymarferol i gynnal mudiadau gwirfoddol i ddarparu gofal yn y Gymraeg lle mae ei angen.

Rydym bob amser yn falch o glywed gan rai sydd yn barod i'n helpu mewn unrhyw fodd. Os hoffech wybod sut y gallwch ein helpu neu wybod rhagor am ein gwaith, cysylltwch â helpugilydd@gmail.com neu gallwch sgwennu at Gofal Dydd y Waen, Tŷ Capel, Waen, Llanelwy, LL17 0DY.

DEMENTIA, GOFAL A'R IAITH GYMRAEG

Dr Conor Martin

Mae iaith – prif gyfundrefn gyfathrebu dynol ryw – yn rhywbeth yr ydyn ni oll yn tueddu i'w gymryd yn ganiataol fel elfen gynhenid o'n bodolaeth. Ond gŵyr unigolion sy'n byw gyda dementia, a'u teuluoedd a'u gofalwyr, fod iaith yn rhywbeth i'w drysori. Yn gynnar yn y broses ddementia, mae'r gallu i ddeall a mynegi iaith yn cael ei erydu, ac yn parhau i erydu nes bod unigolyn a oedd unwaith yn rhugl ei leferydd yn mynd yn fud ac yn ffwndrus. Daw hyn yn destun galar iddynt hwy a'r rheiny sydd agosaf atynt – stori gyfarwydd iawn i sawl un sy'n darllen y llyfr hwn.

Bydd y rheiny hefyd yn ymwybodol o bwysigrwydd iaith gyntaf yr unigolyn i'w hunaniaeth, yn enwedig pan fo ganddo ail iaith. Daeth unieithrwydd Cymraeg i ben, fwy neu lai, oherwydd cryfder yr iaith a'r diwylliant Saesneg. Serch hyn, mae ymchwil ar draws y byd yn adrodd sut mae pobl â dementia yn tueddu i ddychwelyd at eu mamiaith pan fo'r salwch yn dwysáu. Ac wrth gwrs, nid yw'r Cymry Cymraeg yn eithriad. Ar ben hyn, mae agweddau diwylliannol eraill (megis crefydd, defodau traddodiadol a bwyd) hefyd yn gallu effeithio ar y profiad o ddementia, gan eu bod yn cynrychioli'r gwerthoedd, y normau a'r credoau sy'n gyfarwydd ac yn cael eu rhannu gan grwpiau penodol.

Defnyddir y gair 'cyfaddasrwydd' i ddisgrifio sut mae amgylchiadau yn gweddu i'w gilydd; er enghraifft, pan mae'r haul yn tywynnu ar fore braf o haf, mae hyn yn gyfaddas. Byddai unigolyn Cymraeg ei iaith gyda dementia felly yn byw mewn amgylchiadau cyfaddas petai'n cael siarad Cymraeg â'r bobl o'i gwmpas – yn enwedig y rheiny sy'n gofalu amdano. Wel, siŵr iawn, fe'ch clywn yn dweud. Yn anffodus, nid dyma yw profiad pob person Cymraeg ei iaith sydd â dementia.

Gwyddom eisoes o adroddiad Comisiynydd yr Iaith Gymraeg yn 2014 fod siaradwyr Cymraeg a'u teuluoedd yn cael trafferth cyrchu gwasanaethau Cymraeg, er gwaethaf amcanion Deddf yr Iaith Gymraeg 1993 a Mesur y Gymraeg 2011 i sicrhau bod cyrff cyhoeddus yn darparu gwasanaethau trwy'r Gymraeg, lle bo'n briodol. Bydd sawl darllenwr yn uniaethu â'r claf yma: "Pan fydd raid i mi fynd i weld y meddyg Saesneg yn y feddygfa, dwi'n teimlo 'mod i'n siarad yn chwithig, ac mae'n anodd iawn egluro'n glir sut rwy'n teimlo."

Bydd perthnasau cleifion hefyd yn gyfarwydd â phrofiadau fel hyn:

"Mae o'n 80 oed, ac mae ei Saesneg o'n eitha bratiog. Pan oedd o'n wael iawn efo niwmonia roedd o'n tueddu i golli gafael ar ei synhwyrau a dim ond y Gymraeg roedd o'n siarad. Os na fyddai rhywun Cymraeg ar y ward ar yr adeg yna, fydden nhw ddim yn gallu deall beth oedd o'n ddweud. Heb y Gymraeg fydden nhw ddim yn gallu dehongli'r sefyllfa. Hynny yw, byddai'r holl geriach roedden nhw'n rhoi yn sownd ynddo fo wrth gwrs yn rhoi darlun meddygol, ond beth fydden nhw ddim yn neud oedd rhoi darlun o sut oedd o'n teimlo a beth oedd o'n ceisio'i ddweud wrthyn nhw."

Beth fyddai manteision sicrhau cyfaddasrwydd ieithyddol i bobl â dementia yng Nghymru? Mae'r ymchwil rhyngwladol eisoes wedi dangos bod hyn yn fuddiol; yn benodol, mae'n arwain at y gofal priodol mae pobl ei angen, mwy o gyfleoedd i gymdeithasu, a theimladau o hapusrwydd. Mae'r rhan helaeth o'r ymchwil yma'n cyfeirio at fewnfudwyr i wledydd lle mae'r brif iaith a diwylliant yn wahanol i'w rhai nhw. O ganlyniad, nid yw'n gwbwl gywir ei gymharu gyda phobl sydd â dementia, â'r Gymraeg yn famiaith iddyn nhw, ac sydd ymhlith lleiafrif yng Nghymru, eu gwlad frodorol. Buasech yn maddau i'r rheiny sy'n tybio y dylai'r cyfle i siarad Cymraeg yn eu bywydau o ddydd i ddydd fod yn hawl sylfaenol i Gymry

Cymraeg â dementia, ond mae'r frwydr am yr hawl yma'n dal i fynd yn ei blaen. Er hyn, tan yn ddiweddar, prin iawn oedd y dystiolaeth wyddonol am gyfaddasrwydd ieithyddol a diwylliannol Cymraeg mewn gofal i'r unigolion hynny. Ond mae ymchwil newydd yng Nghymru wedi datgelu canlyniadau grymus sy'n dangos y dylai'r agwedd yma o'u gofal fod yn flaenoriaeth uchel ar gyfer darparwyr gofal iechyd a chymdeithasol.

Fe wnaethon ni ymweld â dau gartref preswyl yng ngogledd Cymru lle mae nifer o'r trigolion yn byw gyda dementia. Mewn un cartref, roedd yr amgylchedd yn gwbwl Gymraeg, gan gynnwys y preswylwyr eu hunain, y gofalwyr a'r rheolwraig. Roedd hyn o ganlyniad i'w lleoliad yng nghalon y fro Gymraeg, lle byddai'r bobol leol i gyd, o'r henoed a fyddai'n dod i fyw yn y cartref i'r rhai ifanc a fyddai'n dod i weithio yno, yn rhugl ac yn gymwys yn iaith a diwylliant y Cymry Cymraeg. Fe wnaethon ni ddewis y cartref yma i gael archwilio natur y profiadau o fewn amgylchedd Cymraeg o'r fath.

Ar y llaw arall, fe wnaethon ni ddewis y cartref arall i gael ymchwilio i sut brofiad ydy byw mewn amgylchedd Saesneg ei iaith (gan fwyaf) i drigolion Cymraeg sydd â dementia. Roedd y cartref hwn mewn ardal lle mae cyfran uchel o'r boblogaeth leol yn siarad Gymraeg ymysg yr henoed, ond lle bo'r cymhwyster yn isel iawn o ran y rhai ifanc sy'n gweithio fel gofalwyr. O ganlyniad, drwy'r

Saesneg y câi'r trigolion y rhan helaeth o'u gofal, ac roedd y preswylwyr Cymraeg iaith gyntaf yn y lleiafrif. Golygai hyn mai Saesneg oedd amgylchedd gofal a chymdeithasol y cartref, yn amlach na pheidio. Yn y ddau gartref, cawsom y cyfle i drafod bywyd o ddydd i ddydd yn y cartrefi, gyda'r trigolion eu hunain, eu perthnasau a'r gofalwyr.

Y thema fwya trawiadol i darddu o'r gwaith ydi 'cartrefigrwydd'. Dro ar ôl tro, mae'r unigolion â dementia, eu teuluoedd a'u gofalwyr yn pwysleisio'r teimlad cartrefol maent yn ei gael yng nghwmni siaradwyr Cymraeg, fel y dywed y preswyliwr yma:

"Ma'n gymuned fwy clòs efo ni yn y Gymraeg. Dydy o'm yn fy mhoeni i, 'de, siarada i Susnag, dwi 'di bod yn yr armi, neud fy National Service, Susnag o'dd rhan fwya ohonon nhw, 'de. Ond dach chi'n fwy cartrefol yn yr iaith gyntaf."

Dywed un ddynes fod siarad Cymraeg yn "help garw. Mae o rhywsut fel adre, ynde," ac esbonia menyw arall effaith ei hafiechyd ar ei lleferydd: "Dwi lot mwy cyfforddus yn y Gymraeg. Ma'n Susnag i'n waeth, 'de. O'dd fy Susnag i'n lot gwell cyn y strôc."

Cawn farn debyg gan ofalwyr, megis, "Dwi'n meddwl bod nhw'n teimlo yn fwy cartrefol, dydyn. Mae o'u iaith nhw'u hunain, dwi'm yn gwbo, ma nhw'n agosach atat ti rywsut."

Mae perthnasau hefyd yn gadarn eu barn fod y Gymraeg

yn bwysig iawn: "O'n i ddim isio iddi fynd i gartref henoed ond os oedd hi'n mynd, wel yn bendant bod yr awyrgylch yn Gymraeg a bod rhan fwya o'r staff yn siarad Cymraeg."

Cawn un wraig yn esbonio am ei gŵr: "If he's on a bad day, when he doesn't know what he's saying, and they've walked past, he'll shout, 'Dach chi'n siarad Cymraeg?'"

Yn ychwanegol i'r effaith yma, mae cyfaddasrwydd yn cyfrannu tuag at ddarpariaeth gofal priodol i bobl â dementia. Mae'r gofalwr yma yn esbonio:

"Tydyn nhw [gofalwyr Saesneg eu hiaith] methu cael preswylwyr i neud yr un fath, tydyn nhw'm yn gallu dod drosodd iddyn nhw yr un fath, a hwyrach 'swn i'n medru'u cael nhw i wneud rhywbeth yn eu hiaith nhw'u hunen, ynde. Ma nhw fatha 'san nhw'n fwy agos at rywun, rywsut."

Er hyn, mae gofalwyr Saesneg eu hiaith hefyd yn gallu dangos dealltwriaeth o anghenion pobl Gymraeg, er enghraifft, wrth drafod siaradwr Cymraeg gydag anghenion dementia dwys:

"He can really become quite confused and not really sure of what's going on at all, especially when it comes to the personal care side of things. He becomes quite upset, agitated, and I've seen if somebody can go in there, and say in Welsh what we're there for, then there is a difference."

Gall hyn ymestyn at ofal meddygol: "There's been a couple who have refused to take their medication, but then another carer's gone and spoke to them in Welsh and you know, a little bit more understanding."

Mae hyn yn amlwg yn destun pryder, o ystyried nifer y siaradwyr Cymraeg iaith gyntaf sydd yn derbyn gofal drwy'r Saesneg.

Mae'r iaith Gymraeg hefyd yn galluogi'r unigolion hyn i gymdeithasu yn briodol. Yn y cartref preswyl lle mae mwyafrif y trigolion a'r staff â'r Gymraeg yn famiaith iddyn nhw clywir rhai o'r trigolion yn canu emynau a chaneuon Cymraeg traddodiadol gyda'i gilydd. Mewn cartref lle mae'r Cymry yn y lleiafrif, gwelir dwy breswylwraig Gymraeg yn treulio amser gyda'i gilydd: "Am bod ni'n siarad Cymraeg efo'n gilydd, dwi'n meddwl, ynde," a dywed y llall, pe na bai ei ffrind yno: "Wel, gyda'r nos fasa raid i mi fynd i'r rŵm fawr ne rwbath efo'r lleill, dach chi'n gwbo, 'de... Susneg ma nhw gyd yn siarad yn fan'ne."

Yn anffodus, mae rhai unigolion Cymraeg iaith gyntaf sydd â dementia yn gallu bod ar eu colled pan maent yn y lleiafrif. Gwelir rhai yn dewis peidio â mynychu gweithgareddau cymunedol, er enghraifft, cael diddanwr Saesneg yn ymweld â'r cartref. Dywed un gofalwr o'r un cartref preswyl fod unigrwydd yn gallu bod yn broblem i rai: "Mi o'dd 'ne nifer mwy o Gymry yma, a wedyn o'dd o'm yn gymaint o broblem, ond rŵan ma 'na lai o Gymry, ti'n gweld o'n fwy bod nhw mynd i fod ar ben eu hunen a ddim yn cymysgu, ti'n gwbo be dwi'n feddwl?" Yn ogystal â hyn, gall rhai gofalwyr fod yn anwybodus ynghylch elfennau craidd diwylliant nifer o unigolion Cymraeg: "Os fysa 'ne ofalwyr sy ddim yn Gymraeg, fysan nhw'm callach efo Steddfod a pethe," meddai un, gydag un arall yn dweud, "Dan nhw'm yn ei roi o arno (y teledu)."

Rhaid hefyd ystyried gofynion pobl iaith gyntaf Saesneg (ac ieithoedd eraill) sydd â dementia yng Nghymru, mewn ardaloedd lle mae'r Gymraeg yn y mwyafrif. Mae peryg iddynt hwythau brofi unigrwydd a gostyngiad mewn lles oherwydd diffyg cyfaddasrwydd. Serch hyn, nid yw'n bosib dychmygu sefyllfa pan mae gofalwr yn methu â chyfathrebu yn iaith gyntaf siaradwr Saesneg â dementia, sef y sefyllfa gyffredin y bydd llawer o Gymry Cymraeg yn ei hwynebu bob dydd ar draws y wlad.

Mae darparu awyrgylch Gymraeg i siaradwyr Cymraeg yn bwysig i bobl â dementia oherwydd y rheidrwydd i ddod i nabod yr unigolion eu hunain wrth ystyried eu gofal. Mae'r ymchwil yng Nghymru yn dangos nad yw'n bosib gwneud hyn heb ystyried eu hiaith a'u diwylliant Cymraeg – elfennau mor bwysig o hunaniaeth y Cymry Cymraeg. Ni allwn ddychmygu Cymro neu Gymraes heb feddwl hefyd am eu gwreiddiau yn nhirwedd Cymru, yr hanes, y cerddi, yr idiomau, a'r defodau traddodiadol sy'n llifo'n gynhenid trwy eu gwythiennau. Tybiwn fod darparu cyfaddasrwydd mewn gofal yn galluogi unigolion hŷn â dementia i gyrchu man diogel, cartrefol, o'u mewn eu hunain, sy'n cyfrannu tuag at y lles sylfaenol sydd ei angen arnynt i lywio'u bywydau o ddydd i ddydd.

I ba raddau y mae diffyg cyfaddasrwydd yn broblem ledled Cymru? Y gwir yw nad yw'r wybodaeth yma ar gael i ni, gan nad oes gofyn ar ddarparwyr gofal iechyd a chymdeithasol i gofnodi nifer y siaradwyr Cymraeg sy'n gofalu am Gymry Cymraeg. Yn anffodus, mae'n ddigon o broblem i Gomisiynydd Pobl Hŷn Cymru ddatgan yn 2014, "nad oedd nifer o breswylwyr oedd yn siarad Cymraeg fel iaith gyntaf yn gallu cyfathrebu yn eu hiaith ddewisol oherwydd prinder staff gofal oedd yn siarad Cymraeg". Cymerwn hyn fel arwydd o'r diffyg cyffredinol. Yn wir, yr unig lefydd y gallwn obeithio bod cyfaddasrwydd ar gael i'r fath unigolion yw yn ddwfn yn y fro Gymraeg, lle mae gweithwyr gofal ifanc hefyd yn dod o gartrefi Cymraeg.

Ym mhobman arall, y broblem yw prinder gofalwyr Cymraeg, a diffyg hyfforddiant sgiliau iaith i'r rheiny nad ydynt yn gymwys. Ymddengys o'r ymchwil nad difaterwch ar ran y gofalwyr sy'n gyfrifol am hyn; rhaid ystyried hwylustod mynychu cyrsiau iaith wrth weithio shifftiau hir ac anghymdeithasol. Nid oes cymhelliad ariannol ychwaith i ofalwyr feddu'r gallu i siarad Cymraeg – mae'r cyflog yr un peth â chyd-weithiwr uniaith Saesneg, sydd heb orfod mynd trwy'r ymdrech galed o ddysgu iaith. I gyferbynnu, yng Nghanada gwelwn weithwyr cyhoeddus yn cael bonws am ddysgu Ffrangeg yn y wlad ddwyieithog honno. Rydym yn annog Llywodraeth Cymru felly i gymryd camau positif tebyg i Ganada. Un flaenoriaeth i'w hystyried ar frys yw sicrhau bod o leiaf un gofalwr Cymraeg ar gael bob dydd yn y cartref, ar gyfer y Cymry Cymraeg â dementia sydd angen gofal. Mae hyn yn hollbwysig, yn enwedig yn wyneb y canfyddiad bod rhai unigolion yn gwrthod cymryd eu moddion, er enghraifft, os nad ydynt yn cael eu gofal trwy'r Gymraeg. O leiaf, dylid uwchraddio anghenion siaradwyr Cymraeg i'r un lefel â lleiafrifoedd eraill. Gwelwyd sylw i anghenion gofal pobol o gefndir Du, Asiaidd a Lleiafrifoedd Ethnig (BAME) mewn adnodd newydd gan Ymddiriedolaeth Gofalwyr Cymru yn 2020, sydd i'w gymeradwyo. Serch hynny, nid oes unrhyw adnodd cyfatebol ar gyfer anghenion y Cymry Cymraeg yng Nghymru. Mae hyn yn dangos bod codi ymwybyddiaeth ynghylch y mater yn her, ond mae angen i'r sefydliadau perthnasol osod sylfeini cryf er mwyn darparu'r gofal priodol ar gyfer siaradwyr Cymraeg â dementia, a fydd ar ddiwedd y dydd yn gwneud cyfraniad sylweddol tuag at eu lles a'u hapusrwydd.

ALLA I DDIM COFIO

Elin Wyn

Pan fydd babi bach yn cael ei eni mae'r holl gerrig milltir yn cael eu cofnodi yn fanwl – y gair cyntaf, y cam cyntaf, y dant cyntaf yn dod drwodd. Rwy hefyd yn cofio'n glir yr holl ddyddiadau allweddol gyda salwch olaf fy nhad – y diagnosis o ganser y gwaed ganol Rhagfyr, y trallwysiad gwaed noswyl Nadolig, dechrau'r cemotherapi ar Ŵyl San Steffan, mynd i'r ysbyty ddiwrnod ar ôl pen-blwydd Mam ym mis Ionawr, symud i'r hosbis ym Mhenarth, a'r pump wythnos a hanner cyn iddo'n gadael yn dawel.

Dyw hynna ddim yn digwydd gyda dementia. Alla i ddim cofio'r dyddiad sylwais i bod Mam yn dechrau ailadrodd pethau. Alla i ddim cofio'r dyddiad pan newidiodd ei phersonoliaeth. Alla i ddim cofio pryd daeth y sgwrsio i ben. Alla i ddim cofio pryd wnaeth hi fethu codi cyllell a fforc i fwyta ei bwyd. Alla i ddim cofio pryd wnaeth hi roi'r gorau i fwyta bwyd. Mae'r newid a'r dirywiad gyda dementia mor araf ac anweledig. Mae e fel un o'r cerfluniau iâ cywrain yna sydd ar ganol y bwrdd mewn gwledd foethus. Mae'r manylion i gyd yna ar y dechrau, yn siarp ac yn glir, ond wrth i'r iâ ddadlaith mae'r manylion clir yn diflannu yn araf bach a chyn i chi sylweddoli mae siâp y cerflun yn hollol wahanol ac o fewn dim mae wedi mynd yn gyfan gwbl.

Mae effaith dementia ar bob unigolyn yn wahanol. Gyda Mam, y methu cofio ddaeth gyntaf – methu cofio pethau diweddar. Roedd ei hatgofion am yr hen ddyddiau mor glir â chrisial ac, os rhywbeth, yn fwy manwl nag erioed. Bydden ni'n clywed straeon nad oedden ni wedi'u clywed o'r blaen am ei phlentyndod yn Llangrannog adeg yr Ail Ryfel Byd. Ond y newid yn ei phersonoliaeth oedd anoddaf. Roedd hi'n mynnu cael ei ffordd ei hun bob tro ac yn gwbl benderfynol bod angen gwneud pethau ei ffordd hi. Roedd yn anodd i Dad oedd yn gofalu amdani ond fe ddysgon ni i dderbyn ei hunplygrwydd – *go with the flow*. Ar adegau byddai hyn yn ddoniol, fel y flwyddyn pan oedd hi'n mynnu nad oedd Nadolig wedi bod eto ac roedd y cardiau Nadolig a'r goeden yn dal yn eu lle amser Pasg.

"Ond ma pobl wedi mynd i gymaint o drafferth i anfon cardiau neis i ni," meddai, a'r holi fisoedd ar ôl yr ŵyl, "Beth fyddet ti'n lico fel anrheg Nadolig eleni?"

Roedd troeon eraill pan oedd hi'n gwbl benderfynol yn anos. Fel y tro wnaeth hi a 'nhad ddod i seremoni raddio fy mab yn Llundain a mynnu'n bod ni'n mynd ar y trên. Ac ar ôl cyrraedd Llundain gwrthododd yn llwyr fynd ar y bws neu'r Tube neu mewn tacsi Llundain am eu bod yn rhy uchel. Roedd hyn yn y dyddiau cyn Uber, felly roedd rhaid ffonio tacsis preifat bob tro roedd angen mynd i unrhyw le er mwyn gwneud yn siŵr mai *saloon car* oedd yn dod i'n casglu.

Effaith waethaf bod mor benderfynol oedd gwrthod derbyn o gwbl bod unrhyw beth yn bod arni – "Sdim byd yn bod ar fy nghof i – fi'n cofio popeth" – ac yna hanesyn manwl o'r gorffennol pell. Chafodd hi ddim diagnosis o ddementia am flynyddoedd. Er i Dad a'r doctor drio'n galed i'w pherswadio roedd hi'n gwrthod yn glir â mynd i'r clinig cof. Pan ddaeth y llythyr gyda'r apwyntiad, y pennawd arno oedd 'Elderly Mental Health' a'i hymateb hi oedd, "Sa i'n mental! So chi'n hala fi i St David's!" Roedd ysbyty seico-geriatrig Dewi Sant yng Nghaerfyrddin wedi cau ers blynyddoedd lawer ond roedd stigma'r lle yn dal yn fyw iawn yng nghof Mam, yn enwedig gan mai yno y bu ei thad yn ei flynyddoedd olaf.

Wrth edrych 'nôl dylen ni fod wedi mynnu bod Dad yn cael help llawer yn gynt. Roedd e yn ei wythdegau, yn gwbl *compos mentis* ond â phroblemau iechyd ei hun ar ôl cael canser y prostad rai blynyddoedd ynghynt. Roedd y ddau yn byw yng nghartref Mam yn Llangrannog, gan milltir o Gaerdydd lle roedd fy chwaer a finne yn byw. Fwy nag unwaith fe fu raid i un ohonon ni ollwng popeth a rhuthro lawr ar ôl i Dad gael pwl a gorfod mynd i Ysbyty Glangwili. Ar y pryd roedd digon o ymwybyddiaeth gyda

Mam i'n ffonio ni i ddweud beth oedd yn digwydd, ond roedd yn anochel y byddai'r dydd yn dod pan fyddai hi ddim yn gallu gwneud hynny.

Yn y pen draw daeth y ddau 'nôl i Gaerdydd a rhentu byngalo llai na deg munud o wâc o fy nhŷ i. Roedd yn ateb delfrydol mewn sawl ystyr – yn agos aton ni a'u ffrindiau, popeth ar un llawr felly'n haws i Mam symud o gwmpas gyda'i ffon, ond yn bwysicach na dim byddai gofalwyr yn galw ddwy waith y dydd i godi, ymolch a gwisgo Mam. Roedd perswadio Dad, yn fwy na Mam, bod angen help yn frwydr galed.

Ar hyd y ffordd roedd rhwystredigaethau lu wrth ymdrin â'r awdurdodau – cymaint o wahanol adrannau ac unigolion, a phob un yn ymwneud ag elfen wahanol o ofal Mam. Gan ei fod yn ddyn trefnus tu hwnt roedd gan Dad lyfryn nodiadau gydag enwau pob un person ac adran a phryd wnaeth e gysylltu â nhw. Ac yna'r ymdrechion i gael gwasanaeth yn y Gymraeg. Roedd y Cyngor Sir yn dda iawn ac yn deall eu dyletswyddau o ran safonau'r Gymraeg, ac roedd yn ddigon posibl ymwneud â swyddogion yn y Gymraeg. Ond mater arall oedd hi gyda'r bobl oedd yn dod at Mam o ddydd i ddydd. Doedd pethau ddim cystal yn y Gwasanaeth Iechyd – hap a damwain oedd dod ar draws rhai oedd yn siarad Cymraeg yn yr uned ddydd i bobl â dementia, ac roedd y rhai oedd yno yn werth y byd.

Ond doedd pethau ddim yn fêl i gyd ar ôl y symud.

Achosodd y newid ddirywiad sydyn yn ei chyflwr – roedd hi wastad eisiau mynd adre at ei mam yn Llangrannog ac roedd yn amhosibl ei gadael ar ei phen ei hun. Fe syrthiodd sawl gwaith yn y byngalo a gorfod galw ambiwlans neu barafeddygon i'w chodi. O leiaf doedd hi ddim yn crwydro, fel sawl un â dementia – roedd hi'n rhy fregus ar ei thraed i wneud hynny. Ac yna'r ergyd galed. Penderfynodd perchnogion y byngalo eu bod yn dod 'nôl o Sbaen ar ôl ymddeol yno, felly roedd rhaid dod o hyd i rywle arall iddyn nhw fyw.

Gyda chyflwr Mam wedi dirywio gymaint, yr unig ddewis erbyn hyn oedd cartref gofal, ac er nad oedd angen gofal ar Dad roedd e eisiau bod gyda hi, ar ôl bod yn briod am 60 mlynedd. Wrth gwrs, roedd rhaid 'twyllo' Mam i fynd i'r cartref a dweud mai gwesty oedd e. Roedd hi newydd fod yn yr ysbyty ac er ei bod yn fregus yn mynd i mewn, mi oedd hi'n gallu cerdded gyda chymorth ffrâm. Daeth hi allan yn methu cerdded o gwbl. Pythefnos yn y gwely gyda'r ochrau lan fel ei bod hi ddim yn gallu codi, a dim golwg o'r un ffisiotherapydd i'w chadw i symud.

Canlyniad symud yr ail waith oedd dirywiad pellach – erbyn hyn roedd angen gofal nyrsio llawn ar Mam. Doedd hi ddim yn gallu cerdded, ddim yn gallu codi o'r gadair, ddim yn gallu gwisgo nac ymolch, ac roedd Dad yn ei helpu i fwyta. Tua'r cyfnod yma y dechreuodd yr ymdawelu – llai o sgwrs, methu gorffen brawddegau, a daeth hi'n amlwg pa mor bwysig oedd cyfathrebu yn y Gymraeg iddi. Roedd Dad gyda hi bob dydd, wrth gwrs, ac yn ddigon ffodus roedd ambell un o'r gofalwyr yn y cartref yn siarad Cymraeg. Byddai ei hymateb yn hollol wahanol pan fyddai rhywun yn siarad Cymraeg â hi – ei hwyneb yn goleuo ac ymdrech fach i ddweud rhywbeth.

Dwy flynedd fuon nhw yn y cartref cyntaf cyn gorfod symud eto. Penderfynodd perchnogion y cartref roi'r gorau i ddarparu gofal nyrsio a rhoi mis i ni ddod o hyd i gartref arall. Roedd Dad erbyn hyn yn dechrau dioddef symptomau canser y gwaed, ac o fewn wythnos ar ôl symud fe gafodd y diagnosis. Chwech wythnos fuodd e yn y cartref cyn symud i'r ysbyty a'r hosbis. Mae'n amhosib dweud faint oedd Mam yn ei ddeall am gyflwr Dad a faint oedd hi'n ei ddeall pan fu farw. Byddai'r dirywiad araf a pharhaus yn ei chyflwr wedi digwydd beth bynnag, ond heb Dad yno gyda hi bob dydd, a wnaeth y dirywiad brysuro? Ac yna, flwyddyn ar ôl colli Dad, daeth Covid.

Roedd fy chwaer a finne wedi dod i batrwm o fynd i weld Mam bob wythnos, eistedd gyda hi yn gwylio hen raglenni ar S4C, sgwrsio heb gael ateb, ond daeth hynny i gyd i ben ar Fawrth y 12fed, 2020 pan gaeodd y cartref ei ddrysau i ymwelwyr. Chware teg, roedden nhw'n gwneud ymdrech dda i helpu teuluoedd i gadw mewn cysylltiad drwy ffonio neu FaceTime neu Zoom – ond fyddai hynny'n golygu dim i Mam – byddai hi wedi drysu hyd yn oed yn fwy. Diolch byth am Paige, yr unig un o'r gofalwyr oedd yn siarad Cymraeg. Pan fyddai hi ar ddyletswydd ac yn sgwrsio yn Gymraeg fe fyddai Mam yn fodlon bwyta rhyw damed bach mwy nag arfer. A diolch hefyd am y gofalwyr eraill – cynifer ohonyn nhw yn byw yn Nhrelái lle roedd y cartref, a'u plant neu eu hwyrion mewn addysg Gymraeg. Roedd bron pob un yn gwneud ymdrech i gyfarch Mam yn Gymraeg, a chyn Covid byddai ambell un yn dod â'u plant bach i mewn i ddifyrru'r hen bobl.

O'r diwedd, yn ystod haf 2020, fe gafon ni ganiatâd i fynd yn ôl i weld Mam – yn yr ardd, yn gwisgo PPE llawn. Oedd hi'n ein nabod ni y tu ôl i'r mwgwd a'r ffedog a'r *visor* plastig? Yn sicr, roedd hi'n nabod ein lleisiau ni ac yn rhyw wenu wrth gael cyfle i glywed y Gymraeg eto. Ond roedd hi wedi colli cymaint o bwysau fel mai prin roedden ni yn ei nabod hi. Roedd hi fel petai wedi rhoi'r gorau i drio bwyta ers y tro diwethaf i ni ei gweld. Cyn Covid bydden ni wastad yn gallu ei themtio i fwyta barryn o Milky Way yn y prynhawn wrth wylio S4C. Ond erbyn hyn, prin roedd hi'n agor ei cheg i fwyta Milky Way Star bach. Erbyn yr hydref roedd y cartref a'r meddyg yn barnu ei bod yn dod at ddiwedd ei hoes, ac oherwydd hynny roedden ni'n cael ymweld unrhyw bryd. Byddwn ni wastad yn hynod ddiolchgar i'r cartref am adael i ni fod gyda Mam ar y diwedd. Fe gollodd cynifer o bobl anwyliaid yn y cyfnod

Covid heb gael cyfle i roi cysur ar y diwedd a ffarwelio yn iawn, ond buon ni'n lwcus.

Ar ôl blynyddoedd o fyw gyda dementia Mam rwyf wedi dysgu llawer o wersi: pa mor bwysig yw hi i gadw i symud a chryfhau y cyhyrau wrth heneiddio. Os gallwch chi godi o gadair a cherdded gyda ffrâm neu ffon cyhyd ag y gallwch chi, fydd dim rhaid dioddef y diffyg urddas o orfod defnyddio hoist at ofal personol; pa mor bwysig yw hi i gael gweithlu gofal sy'n siarad Cymraeg ym mhob rhan o Gymru a thalu digon o arian iddyn nhw; pa mor bwysig yw hi i ddefnyddio'r cymorth sydd ar gael cyn ei bod yn rhy hwyr; pa mor bwysig yw hi i gael un gwasanaeth ar y cyd i gefnogi pobl â dementia a'u gofalwyr; ac yn fwy na dim, pa mor bwysig yw hi i wneud y gorau o bob diwrnod gyda'ch anwyliaid sydd â dementia.

Y PETHA BACH

Glenda Roberts

Sgwrs dros Zoom gyda Beti George

Wnes i ddim sylwi – fy nheulu fi nath sylwi – anghofio
petha bach, anghofio gyrru cardia pen-blwydd, ddim yn
troi fyny am apwyntiada. Oedd arna i ofn mynd at y doctor.
Yn y diwadd o'n i'n ffeindio fy hun yn gneud mistêcs yn
y gwaith, jyst rhyw betha bach. O'n i'n methu transffyrio
calls o un ward i'r llall. O'n i'n arfer gwbod efo pob un
patient – mae'r ddynas yma'n licio te efo dau siwgwr, mae'r
ddynas yma'n licio te du. Ond do'n i'm yn cofio dim byd,
o'n i'n gorfod gofyn iddyn nhw bob tro. O'n i'n gwbod
bod hyn ddim yn iawn, ond o'n i'n meddwl mai'r menopôs
oedd o ar ôl siarad ag un o'r nyrsys.

Mae gen i ddwy chwaer. Oeddan nhw'n deud, ac oedd y
genod yn deud… o'n nhw'n sylwi ar betha bach. Fy chwaer
ddeudodd wrtha i bod rhaid i fi fynd i weld doctor. Nesh i
fynd at y doctor a mi ddeudodd wrtha i am fynd oddi ar y
gwaith yn syth. Oedd hi'n job rhy bwysig i fi fod yn nyrsio

pobol a gneud mistêcs. Fues i adra am tua blwyddyn cyn i mi gael y diagnosis, unwaith ges i'r apwyntiada i fynd i weld y *consultants* – dydi'r GP ddim yn cael diagnosio dementia. Ond o'n i'n lwcus ofnadwy. Wedyn o'n i'n meddwl be dwi'n mynd i neud rŵan! Fues i'n y tŷ tua chwe mis, saith mis ella, dwi'm yn cofio'n iawn. Wedyn ges i nyrs a hi nath ddechra 'nghael i i fynd allan eto.

O'n i wedi'i gael o yn fy mhen bod gynnof i *brain tumour*. Achos y gwaith o'n i'n neud, oedd gynnof i syniada o be oedd o – naill ai Alzheimer's neu *brain tumour*. Ddaru mi fynd am sgans i Ysbyty Gwynedd. Ac oedd rhaid disgwl chwech wsnos. Oedd y *consultant* eisio i fi gael MRI Scan. Oedd rhaid i mi ddisgwyl misoedd i gael sgan ac wedyn fues i'n lwcus iawn. Unwaith gesh i fynd i'r Alltwen Memory Clinic, nath pob dim ddigwydd. Roeddan nhw'n dod i weld fi yn y tŷ wedyn – *phsychologist, phsyciatrist*, ac *occupational therapist*.

Yn y clinig cof o'n i'n gorfod sgrifennu cyfeiriad a chofio brawddega. Adeg honno nath o hitio fi braidd achos fyswn i wedi'u cofio nhw'n strêt os byswn i'n iawn. Bydd rhai pobol yn meddwl bod hyn yn brawf hawdd a gwirion ond pan dach chi ddim yn medru eu cofio, mae'n eich taro chi wedyn.

Fues i'n ofnadwy o lwcus o'r dechra un fod pawb o'n i'n neud efo nhw yn siarad Cymraeg. Yr unig un oedd yn siarad Saesnag efo fi oedd y *consultant*. A pan nesh i ddod allan o fod efo fo un tro, nesh i ddechra crio, a dyma Ifor yn deud wrtha i, "Yli, stopia hynna rŵan, achos rhaid i ti fod yn bositif."

Roedd Ifor a'r merched wedi'u dychryn braidd, ond pan gathon ni'r diagnosis roedd pawb yn falch, achos oedd o'n *relief*. Oeddan ni'n gwbod be oedd o a rhaid i ni ffindio be sy nesa. A wedyn jyst aros yn positif. Does dim byd i fod yn negatif amdano.

Fues i yn Llundan mewn *meeting*. Cyfarfod o ferched yn unig oedd o – roedd Ifor yn *disappointed* nad oedd o'n cael dod efo fi! Oedd 'na 15 ohonan ni yna – rhai o Gymru, rhai o'r Alban a rhai o Iwerddon a Lloegr – a fi oedd yr unig un oedd efo nyrs CPN (Community Psychiatric Nurse). O'n i'n meddwl bod hynny'n warthus. Wedyn sefais i fyny ar fy nhraed a dechrau siarad, a dwi ddim wedi cau 'ngheg ers hynny. Mae o wedi rhoi mwy o *confidence* i fi. Ma Ifor yn falch o 'ngweld i'n cadw mor brysur.

O'n i wedi dychryn faint o bobol oedd DDIM yn cael *support*. Dwi'n teimlo'n lwcus ofnadwy yma yn Dwyfor efo'r tîm yn Alltwen mor dda, mor *encouraging*. Y nhw nath yrru fi i Dementia Go. 'Dan ni wedi gneud ffilm efo plant ysgol. Naethon ni gelf wedyn, prosiect mawr y gwanwyn yng nghartra Hedd Wyn. Dwi wedi bod yn Llundan, a Birmingham, Steddfod Sir Fôn, Steddfod Caerdydd. Pan ma pobol yn cael diagnosis o ddementia, maen nhw'n cael pac o wybodaeth. Ac mae o'n gymaint o sioc pan dach chi'n cael hwnna. Ma pobol yn meddwl be i neud nesa. O'n i'n meddwl, "Dwi ddim yn mynd i ista fama, *waiting for God!* Be ga i neud nesa?"

Ond dydi rhai pobol ddim yn cael y wybodaeth iawn. Dyna sy'n poeni fi. Nesh i ffindio bod ffrindia ddois i i nabod jyst â cholli eu tŷ achos doedd gynnon nhw ddim pres. O'n nhw'n colli un cyflog *full-time* ac yn methu talu morgej. Ma 'na gymaint o betha sy ar gael i bobol, ond does neb yna i ddeud wrthan nhw. Ma hyn yn rong. Dwi'n siarad efo pobol eraill, yn ffindio lot o betha allan, ac wedyn dwi'n pasio hynna mlaen i bobol. Os oes rhwbath fel canser arnach chi, dach chi'n cael y taliada yn syth bìn. Wel, efo dementia dach chi'n gorfod rhoi *claim* am bob dim ac mi gymrith wsnosa ac wsnosa.

Ond dwi'n meddwl bod petha wedi gwella erbyn hyn ac ma pobol wedi cael petha fatha Personal Independent Payment. Maen nhw'n cael nhw'n gynt rŵan. Ma Ifor a fi yn iawn, mae gynnon ni'n dau bensiwn preifat. Rydan ni'n cael arian off treth y cyngor, a doedd lot o bobol ddim yn gwbod am hynna tan i fi ddeud wrthan nhw. A'r baj glas. Roedd 'na lot fawr o ferchaid – nesh i ffeindio hyn allan yn Llundan – ddim yn mynd allan am fod y Cyngor wedi cau cymaint o doileda. Ond os oes gynnoch chi gerdyn glas mi gewch chi oriad gan y Cyngor i fynd i fewn i'r toileda. A hefyd mae 'na gerdyn bach i gael rŵan yn deud bod gynnoch chi'r hawl i iwsio toileda yn y pyb, neu yn unlla.

Sgynnon nhw'm hawl i wrthod i chi iwsio fo. Ma hwnna'n rhwbath newydd. Ma petha wedi gwella.

Dwi'n gneud lot efo plant ysgol. Dwi'n mynd efo fy nyrs i, Mari Ireland, sy'n Dementia Champion. 'Dan ni'n neud sesiwn Dementia Friends yn yr *university*. Oedd nyrsys stiwdants ddim yn cael llawer o nyrsio dementia. Oeddan nhw'n cael dwy neu dair awr y FLWYDDYN – os dwi'n cofio'n iawn. Oeddan nhw'n enjoio siarad efo ni gymaint. Dwi wedi gneud rhyw bedair neu bump sesiwn ar Zoom.

Ma plant yn briliant. Fysach chi ddim yn coelio'r cwestiyna maen nhw'n gofyn, a maen nhw'n sugno pob dim i fewn. Fysa'n werth i chi watsiad fideo Prosiect Anti Glenda ar YouTube– mae'n briliant. Roedd 'na hogyn bach yno a fyswn i wedi medru ei ddwyn o a dod ag o adra.

Mi aethon ni i un ysgol, Mari Ireland a fi, a dyma un hogan yn dechra crio. Wel, o'n i wedi dychryn am fy mywyd. Be o'n i wedi neud i ypsetio hi? A dyma un arall yn dechra crio wedyn, nes yn y diwadd roedd y plant i gyd yn crio. A Mari a fi'n sefyll fan'na efo'n cega'n gorad. A dyma'r hogan fach 'ma'n deud bod gen ei nain hi ddementia. "A dwi ddim yn cal mynd i weld Nain," meddai. "Dwi eisio dal llaw Nain ond dwi'm yn cal mynd i'w gweld hi." O'n i'n meddwl bod hynna'n bechod mowr. Oedd Mari a fi wedi dychryn y tro cynta i ni neud i blant grio. Ond roeddan nhw'n iawn wedyn.

Dwi'm yn cofio'n iawn pryd ges i'r diagnosis o ddementia – tua 55 neu 56 o'n i? Mae'r *frontal lobe dementia* yn effeithio ar y ffordd dwi'n siarad, ac yn naturiol mae o wedi effeithio 'nghof i. Ond ma dementia yn lot mwy nag anghofio lle dach chi wedi rhoi'ch pwrs. Mae o'n gymhleth ofnadwy.

Dwi wedi slofi lawr lot erbyn hyn adra. Mae'n cymryd un diwrnod neu hannar diwrnod ella i fi llnau'r llofft. Mae llnau dyn a llnau dynas yn wahanol, yn tydi? Fi sy'n gneud y bwyd. Fedrith Ifor neud *bacon* ac wy, ond dydi o'm yn gwbod ble mae botwm y *washing machine*. Dwi wedi cael lot o help efo neud bwyd. Ar ôl i mi gael y diagnosis, nesh i ffeindio 'mod i ella'n rhoi cyw iâr yn y popty, ond yn anghofio rhoi'r popty mlaen. Neu berwi'r tatws yn sych, neu heb roi'r moron mlaen. O'n i wedi neud pishyn o biff un diwrnod ac wedi rhoi'r popty mlaen ond wedi anghofio rhoi'r cig yn popty. A dim ond tatws a grefi gawson ni.

Nesh i ddeud wrth Mari am y problema 'ma, a finna'n mwynhau coginio. Ac mi gath hi *occupational therapist* i ddod i'r tŷ ataf i a be naethon ni ffeindio oedd – chi'n gwbod y clocia bach sy'n mynd ding, oedd gynnof i ryw dri ohonyn nhw, a wedyn os oedd y cig yn barod roedd 'na ping. O! Cig ydi hwnna. Wedyn y tatws yn dod i ferwi, troi o i lawr, rhoi'r cloc arall arno am chwartar awr. Nesh i gael petha fel'na i gael petha i weithio efo'i gilydd. Ac Alexa i weithio pob dim. Peidiwch bod â cwilydd bo' chi ddim yn medru neud rhwbath. Jyst gofynnwch am help. Achos dim fi'n unig ydi o. Mae'r teulu yn ffeindio hi'n anodd, maen nhw eisio'ch stopio chi i neud petha. O'n i'n medru gneud panad o de cyn i fi gal diagnosis – dydi o'm yn stopio, a dydi o'm yn newid y diwrnod dwi'n cael diagnosis. Fedra i dal neud hynna.

Dwi'n dal i yrru car ond dim gymaint rŵan. 'Na i ond mynd o fama i Bwllheli – dwi'n byw y tu allan i Nefyn. Ella 'na i fynd i dŷ'n chwaer yn gaea, ond mae'r traffig yma yn ofnadwy yn yr ha, mae'n *chockablock* yma. Dwi wedi colli pob *confidence*, yn enwedig ar ôl gorod aros adra yn y *lockdown*, so dwi'm yn dreifio llawar rŵan. Fues i yn Bodelwyddan yn cal *driving lesson* rhyw ddwy flynadd yn ôl. Oedd o'n *horrendous*. O'n i'n methu dod allan o'r car jyst. Oedd rhaid i fi ddreifio ar hyd yr A55, a do'n i erioed wedi bod yn fan'no. Do'n i erioed wedi dreifio ar *dual carriageway*. O'n i'n sbio ar y ddynas a 'ngheg i'n gorad pan nath hi ddeud. Ac yn Gymraeg oedd o. Oedd y dreifio ei hun fel tasach chi'n cael test. Ond nesh i basio *with flying colours*, meddan nhw. Yr unig beth o'n i'n falch ohono fo oedd bod pob un *traffic light* ar *green* ar hyd y lôn. 'Na i'm ei neud e eto. 'Na i wrthod.

Oedd y *lockdown* cynta yn iawn. Yr ha oedd hi, ynte? Mae gynnof i COPD (Chronic Obstructive Pulmonary Disease) a diabetes. Dwi'n tagu rŵan achos dwi wedi bod yn siarad am oria heddiw 'ma. Oedd gynnof i *meeting* efo Norwich University am ddwyawr bore 'ma. Wedyn dwi'n gorod aros yn tŷ. Ond mae mor braf fama, fedrwch chi fynd allan am dro heb weld neb. Ond do'n i'm yn cael mynd allan. Do'n i'm yn cael mynd i Dementia Go, ddim yn cael mynd i Port, ddim yn cael mynd i ysgolion – be gawn i neud? Do'n i'm yn mynd i ishta yn sbio drw'r ffenast am chwech wsnos. So be naethon ni oedd prynu *polytunnel*. A dwi wedi cael hobi newydd. Dwi wrth fy modd yn garddio 'ŵan. Roedd Gwenan a'i gŵr a'r plant yn byw ym Mhwllheli radag hynny.

Naethon ni roi'r *polytunnel* i fyny, a mynd i'r Garden Centre i brynu llwyth o stwff a dwi wrth fy modd yna, wrth fy modd. Gynnof i foron a nionod, a cabaitsh a tatws a bitrwt, strobris, rasbris, cyrains duon. Flwyddyn yma dwi 'di prynu coed *miniature* sy mond yn tyfu *6 foot*. Ma gynnof i goedan pêrs, coeden fala, coedan blyms, a un *cherries*. A 'dan ni'n bwyta'r rheina i gyd. A hefyd ma 'na *community garden* ym Mhwllheli, ac ond ers rhyw fis ma 'na griw bach ohonan ni yn mynd i fan'no. A mae o'n hardd. A ma 'na Men's Club yna, a ma 'na ysgolion yn mynd i ddechra dŵad yna bob wsnos.

Dwi'm yn dallt pres dim mwy. A dwi'm yn mynd i siopa. Ifor sy'n neud o i gyd. Dwi wedi trio. Mi oedd Asda cyn y *lockdown* yn neud *shopping hour* distaw ar fora dydd Mawrth, so o'n i'n gallu mynd i fan'na. Doedd 'na'm twrw. Doedd 'na'm *tills* yn mynd, dim miwsig yn mynd. Be oedd yn braf oedd bod chi'n gallu consyntretio ar be o'ch chi eisio a ffeindio fo. A wedyn os oedd y genod yn meddwl 'mod i ar goll, oedd 'na rywun oedd yn gallu dod i fy helpu fi. Yn naturiol, ma pawb yn fy nabod i bellach. Ond ma dementia… pan dach chi'n sbio ar rwbath, deudwch 'mod i eisio potel o sos, galla fod o reit o 'mlaen i, ond dwi'm yn ei weld o, ma 'na gymint o betha yna. Dydi o'm yn hawdd. Os oes 'na fat du ar lawr, ar hyn o bryd dwi ddim yn meddwl mai twll sy 'na fel ma rhai sy â dementia. Be dwi'n gweld ydi petha sy'n sgleinio, fatha lloria sy'n sgleinio. Dwi'n meddwl mai dŵr ydi o, a dwi'n mynd rownd yr ochra yn lle mynd i'r canol.

Ma pob sŵn yn cymysgu i mewn i'w gilydd. Os dwi'n gwrando ar fiwsig yn y tŷ ma hynna'n iawn, ond pan dach chi'n mynd rhwla a ma 'na lot o dwrw, ma pob dim yn fatha cymysgu. A dwi'n licio darllan. Pan dwi'n rhoi'r llyfr i lawr, bydd rhaid i fi fynd yn ôl tua tair tudalen i gofio'r stori.

'Na i'm mynd allan ar fy mhen fy hun rŵan. O'n i'n ffeindio bod gynnof i ofn. Ofn y lôn. Oedd gynnof i ofn croesi'r lôn. Dwi'n sbio ond dwi'm yn medru jyjo pa mor ffast ma'r ceir yn dŵad, pa mor agos ydyn nhw. Eich *senses* chi ydi o. Ydi o'n mynd i slofi lawr i fi gael croesi'r lôn, neu ydi o'n mynd i ddal i ddŵad? Ma'r *judgement* yna wedi mynd.

Dwi'n cael tabledi i helpu fi ddelio â stres. Tabledi at *depression* ydyn nhw. Ond dwi'm yn *depressed.* Dwi erioed wedi bod yn *depressed*. Ond maen nhw'n stopio fi i banicio a petha, neu maen nhw'n helpu fi i gadw'n *calm*. A ma rheiny'n helpu fi i gysgu. Dwi'n breuddwydio mwy. Dwi'n deffro weithia wedi blino am bod fy mrên i wedi bod yn mynd drw'r nos. Ma gas gynnof i'r bora. Pan dwi'n deffro, ma pob dim yn mynd trw 'mhen i. Ma fatha 'mod i'n methu stopio fo.

Ma Ifor yn *supportive* ofnadwy. Ma'n siŵr ei fod o'n gorod gneud mwy, ond mae o'n deud wrtha i i jyst bod yn bositif. Dwi'n berson reit bositif, ond ma gynnof i ofn bod ar fy mhen fy hun. Dwi erioed wedi bod ar ben fy hun. Dwi wedi bod efo'r gŵr ers o'n i'n 17. Dwi wedi gneud fy mhlania i gyd. Dwi wedi gneud y *power of attorney*. Dwi wedi gneud fy ewyllys. A dwi wedi sgwennu be dwi eisio i ddigwydd yn fy nghynebrwng i. A dwi wedi pigo'r *nursing home* – os bydd eisio. Ond ma'r genod yn deud wrtha i fydda i byth ar ben fy hun. Be sy i ddigwydd, mi neith o ddigwydd. Dwi'n gwbod be sy o 'mlaen i. Ond ella 'na i aros fel ydw i.

CHWILIO AM ATEB

Yr Athro Julie Williams

Mae Cymru wedi cyfrannu tuag at ymchwil dementia dros nifer o ddegawdau, trwy gynnig syniadau arloesol, cyfrannu i astudiaethau byd-eang a helpu i sicrhau cynnydd yn ein data ymchwil. Bellach mae gennym dros gant o ymchwilwyr yn canolbwyntio ar sawl ffurf ar ddementia, gan gynnwys Alzheimer's, Parkinson's a chlefydau Huntington. Mae saith canolfan ymchwil dementia ym Mhrydain sy'n canolbwyntio ar ddeall dementia, gofal dementia a darganfod triniaethau newydd, ac ymfalchïwn fod un ohonyn nhw yng Nghaerdydd. Mae miloedd o oriau yn cael eu neilltuo i archwilio natur gymhleth y modd y mae dementia'n dechrau ac yn datblygu yn yr ymennydd.

Fe fydd yn siwrnai wyddonol hir ac anodd, ond mae'r cynnydd sydd wedi bod eisoes yn ein dealltwriaeth o sut mae gwahanol fathau o ddementia yn ymddangos ac yn datblygu yn galonogol iawn. Mae'n golygu ein bod yn agosáu at ganfod ffyrdd o atal, gohirio a thrin y clefydau hyn. Mae'n bwysig deall, os gallwn ni ohirio dechreuad dementia, y bydd cleifion yn gallu byw yn hirach ac yn iachach. Ac wrth gwrs, fe fyddai hynny'n newyddion gwych, nid yn unig i'r claf ond hefyd i'r teulu, ffrindiau, a'r gwasanaethau iechyd a gofal.

Dros y degawdau diwethaf mae cymdeithas wedi dod i ddeall yn well sut mae dementia yn effeithio mor greulon ar gynifer o'n bywydau, ac mae'r siwrnai wyddonol i fynd i'r afael â'r clefyd wedi cyflymu ar draws y byd. Dechreuodd yr ymchwil o ddifri yng Nghanolfan Niwrowyddoniaeth Prifysgol Caerdydd, ac oherwydd ein llwyddiant, fe ddenodd gefnogaeth Llywodraeth y Deyrnas Gyfunol a Llywodraeth Cymru i gynyddu'r gwaith ymchwil drwy sefydlu'r DRI – Sefydliad Ymchwil Dementia. Mae nifer o ganolfannau ar draws y byd yn canolbwyntio ar ymchwil dementia, a gall Gymru fod yn falch bod cynifer o wyddonwyr wedi dewis gweithio yma oherwydd yr enw da sydd gan y sefydliad yn rhyngwladol. Mae hefyd yn bleser nodi bod gymaint o'n tîm yn dod o Gymru ac mae rhai sydd wedi dychwelyd i Gymru o sefydliadau ymchwil ar draws y byd.

Clefyd Alzheimer yw'r math mwyaf cyffredin o ddementia, ac fel amryw o afiechydon eraill, gall fod yn ganlyniad i nifer o ffactorau, gan gynnwys ffordd o fyw. Er hynny, mae wedi cael ei brofi bod y genynnau sydd gennym ers ein geni yn gallu effeithio'n sylweddol ar ba mor debygol ydyn ni o ddatblygu'r clefyd neu beidio. Mae astudio'r genynnau yn faes sydd ag angen cydweithrediad rhwng ymchwilwyr ar draws y byd, a thrwy gynnwys

143

poblogaethau gwahanol yn yr ymchwil mae'r darlun yn dod yn fwy eglur. Yn y bôn, mae'r astudiaethau'n gymhariaeth syml o amrywiadau genetig rhwng y rhai sydd ag Alzhemier's a'r rhai nad yw'r cyflwr arnynt. Ar hyn o bryd rydym yn gallu cymharu hyd at 9 miliwn o amrywiadau genynnol mewn unigolyn a'u cymharu mewn 100,000 o bobl – rhai ag Alzheimer's ac eraill ddim.

Yn nyddiau cynharaf ymchwil genynnol, yr unig beth oedd yn hysbys oedd bod yr achosion prin iawn o newidiadau neu fwtaniadau (*mutations*) mewn un genyn yn achosi'r clefyd yn yr unigolion hynny oedd yn ei gario. Roedd yr ymchwil yn canolbwyntio bron yn gyfan gwbl ar y mwtaniadau hyn yn y genynnau. Mae'n ymddangos bod y rhain fel petaen nhw'n cynyddu'r ffurf ludiog iawn o'r sylwedd a elwir yn beta-amyloid. Dyma'r sylwedd y mae gwyddonwyr wedi canfod ei fod yn ffurfio llawer o'r hyn sydd i'w weld yn y placiau amyloid yn ymennydd pobl ag Alzheimer's, ac mae'r rhan yma o'r ymchwil felly yn cyd-fynd â'r canfyddiad hwnnw. Ers y darganfyddiadau hyn, mae llu o gyffuriau gwahanol wedi cael eu datblygu a'u profi ar bobl. Roedd y cyffuriau hyn yn gallu cael gwared â'r placiau amyloid o'r ymennydd ond doedden nhw ddim yn gallu atal dementia. Mae'n bosib y gallent fod yn fwy effeithiol petaen nhw'n cael eu rhoi pan fo'r clefyd yn y cyfnod cynnar iawn. Ond rhaid i ni gydnabod hefyd bod hyn yn cadarnhau'r ffaith fod Alzheimer's yn glefyd llawer mwy cymhleth na'r hyn a ddychmygwyd yn wreiddiol. Yn wir, mae'r cymhlethdod yma'n cael ei gadarnhau gan ganfyddiadau ymchwil genetig diweddarach mwy perthnasol i'r math mwyaf cyffredin o Alzheimer's sy'n taro pobl dros 65 oed.

Rydym wedi canfod bod cannoedd neu efallai filoedd o enynnau yn cael dylanwad ar y math mwyaf cyffredin o Alzheimer's. Hyd yn hyn rydym wedi gallu adnabod a nodi 75 ohonyn nhw ac mae'r darganfyddiadau hyn wedi esgor ar sawl llwybr ymchwil diddorol.

Mae rhan helaeth o'r ymchwil yma yn awgrymu bod y system imiwnedd yn dylanwadu ar yr hyn sy'n achosi'r clefyd – yn enwedig y gell imiwnedd a elwir yn *microglia*, sydd yn yr ymennydd. Mae'r celloedd hyn fel petaen nhw'n cael gwared â'r 'sbwriel' a'r elfennau diangen o feinwe'r ymennydd er mwyn cadw'r ymennydd yn iach ac yn gweithio'n effeithlon. Mae ffactorau risg genetig Alzheimer's fel petaen nhw'n lleihau effeithlonrwydd y *microglia* ac yn fwy tebygol o ddefnyddio mesurau eithafol, gan waredu nid yn unig elfennau diangen y meinwe, ond hefyd y rheiny sydd eu hangen. Mae rhai o'r ffactorau risg genetig yn effeithio ar broses imiwnedd bwysig a elwir yn system ategol. Mae'r system yma, er enghraifft, yn marcio cydrannau o'r ymennydd sydd i gael eu clirio gan y *microglia*. Felly, gall Alzheimer's ddatblygu oherwydd y marcio anghywir sy'n digwydd ar feinwe fel synapsau sy'n cysylltu niwronau ac sy'n greiddiol i sut rydym yn dysgu ac yn meddwl. Felly, sut mae'r *microglia* yma sy'n gorweithio yn llyncu synapsau iach? Dyna'r cwestiwn y mae angen ei ateb. Gall colli synapsau rhwng niwronau achosi i'r celloedd hyn farw yn y pen draw, sef beth sydd fel petai'n digwydd yn achos clefyd Alzheimer.

Erbyn hyn, rydym hefyd yn gallu rhagweld Alzheimer's ar sail yr holl dystiolaeth enetig a ganfuwyd hyd yma. Mae sgôr risg polygenig 84% yn gywir. Felly, gallwn adnabod pobl sydd ag Alzheimer's ryw 15 i 20 mlynedd cyn i unrhyw symptomau ymddangos. Mae hyn hefyd yn golygu os down ni o hyd i ffyrdd newydd o atal neu ohirio'r clefyd, y gallwn ganolbwyntio ar y bobl sydd â risg uchel o ddatblygu Alzheimer's.

Mae cael sgôr risg Alzheimer's hefyd yn ein galluogi i greu dulliau newydd i fodelu'r holl ffactorau risg genetig gyda'i gilydd. Dyma sut mae'r clefyd yn digwydd mewn pobl, a'r cyfuniad yma o sawl ffactor risg sydd yn achosi Alzheimer's yn y pen draw. Ar hyn o bryd, rydym yn creu 100 llinell o gelloedd dynol o unigolion sydd â'r risg isaf a'r risg uchaf o ddatblygu Alzheimer's. Bydd deall y rhain yn ein galluogi i ddatblygu dulliau newydd o fodelu, yn seiliedig ar gelloedd bonyn *pluripotent*. Mae gan y celloedd bonyn yma'r gallu i gael eu trawsnewid yn wahanol fathau o gelloedd, rhai fel *microglia*, niwronau a chelloedd eraill yr effeithir arnyn nhw wrth i'r clefyd ddatblygu. Mae hyn yn eithriadol o bwysig am ddau reswm. Yn gyntaf, mae'n ein galluogi i gymharu ymddygiad celloedd â risg Alzheimer's uchel ac isel mewn amgylcheddau gwahanol, er mwyn dod i wybod sut mae'r clefyd yn datblygu. Bydd gwell syniad wedyn sut i dargedu'r hyn sydd ei angen i ddatblygu cyffuriau newydd fyddai'n gallu newid yr ymateb abnormal sy'n gysylltiedig â'r clefyd yn ôl i'r hyn sy'n normal. Yn ail, gallwn ddefnyddio'r llinellau celloedd hyn i brofi triniaethau newydd neu gyffuriau sydd eisoes yn cael eu defnyddio i drin clefydau eraill. Byddai hyn yn cyflymu'r broses o ddod o hyd i driniaethau newydd yn sylweddol.

Mae un canfyddiad annisgwyl wedi dod i'r fei, sy'n ymwneud â chlefyd Parkinson, sef bod y ffactorau risg genetig yn cyflymu'r dirywiad yn y clefyd hwnnw yn ddifrifol. Ond dyw'r ffactorau risg yma ddim yn cyfrannu at yr hyn sy'n achosi clefyd Parkinson.

Mae un o'r meysydd mwyaf cyffrous o ran trin dementia i'w weld yn y ffordd mae clefyd Huntington yn cael ei drin. Mae Therapi Genynnau bellach yn cael ei brofi yng Nghymru ac mewn mannau eraill yn y Deyrnas Gyfunol. Mae'r therapi hwn yn gweithredu drwy atal darllen y cod DNA cyfan a thargedu'r elfen sy'n achosi'r clefyd yn unig. Fodd bynnag, mae angen i'r claf gael y therapi yma yn gyson. Rydym yn gweithio ar therapïau genynnol eraill y byddai'r claf yn eu cael unwaith yn unig, a gallai hyn fod yn bosibl erbyn diwedd y degawd nesaf.

Mae sefydlu'r DRI yng Nghaerdydd nid yn unig yn glod i Gymru a'r gymuned wyddonol yma, ond mae hefyd yn gam pwysig ymlaen i'n dealltwriaeth o ddementia. Rydym wedi sefydlu amrywiaeth o raglenni sy'n gweithio ar wahanol agweddau o'r afiechyd. Mae'r fantais anferth o gael gwyddonwyr o ddisgyblaethau gwahanol yn gweithio yn yr un sefydliad yn golygu eu bod yn gallu croesgyfeirio eu strategaethau a'u canfyddiadau yn gyson, i sicrhau bod ein rhaglenni ymchwil yn mynd i'r cyfeiriad cywir. Mae'r gwyddonwyr hyn nawr yn cyfathrebu yn ddyddiol, felly mae'r canfyddiadau diweddaraf yn cael eu rhannu ac mae'r wybodaeth yn cael ei rhoi ar waith yn gyflym er mwyn gwneud y cynnydd cyflymaf a chywiraf posib.

Mae'r cyhoedd yn dod i ddeall cymhlethdodau ymchwil a sut mae gwyddoniaeth yn datblygu trwy ddadansoddiad disgybledig o wybodaeth sy'n bodoli eisoes, ynghyd â gwybodaeth newydd, i ddatrys dirgelwch y clefyd gam wrth gam. Fel sy'n wir am bob ymchwil ar glefydau, prin iawn yw'r sefyllfa lle ceir un fformiwla hudol sy'n rhoi iachâd llwyr, ond gall y clefyd gael ei drechu os ydym yn barod i ddeall ei achosion a'r ffordd mae'n datblygu.

Yn y DRI yng Nghaerdydd rydym yn cydweithio'n agos â chyd-weithwyr o amgylch y byd. Rydym yn gwybod ein bod ni eisoes wedi cyflymu'r camau angenrheidiol tuag at y darganfyddiadau pwysicaf a bod ein gwaith yn sicr yn mynd i wneud gwahaniaeth.

Mae'n hollbwysig i ni gydnabod yr help rydym ni'n ei gael gan y cyhoedd sy'n cymryd rhan yn ein hymchwil. Rydym yn dibynnu ar fas data o wybodaeth sy'n seiliedig ar samplau gwaed a meinwe gan gymuned eang. Mae parodrwydd y bobl i gymryd rhan yn ein gwaith yn hanfodol ac yn ein hysbrydoli. Hoffwn ddiolch i bawb sydd wedi ymuno â ni yn yr ymdrech i drechu dementia.

Felly mae'r gwaith sy'n cael ei wneud gan y DRI yng Nghaerdydd yn gwneud gwahaniaeth eisoes, ac rydym yn hyderus y bydd yr ymchwil yn parhau ac yn datblygu yn y dyfodol.

Y CYFRANWYR

Beti George: Darlledwraig ac ymgyrchydd dros wella gofal dementia.

Dr Ceri Gwynfryn Evans: Ymgynghorydd Seiciatrig gyda Bwrdd Iechyd Prifysgol Caerdydd a'r Fro, a Darlithydd Clinigol er Anrhydedd ym Mhrifysgol Caerdydd.

Mrs A: Cyn-athrawes, sy'n gofalu am ei gŵr sydd â dementia gyda chyrff Lewy. Mae'n rhoi darlun gonest o boenus o fywyd ar aelwyd sydd wedi ei throi wyneb i waered gan y clefyd.

Rhys ab Owen AS: Aelod o'r Senedd dros Blaid Cymru yn rhanbarth Canol De Cymru. Mae'n fab i Owen John Thomas, cyn-Aelod Cynulliad, sydd â dementia. Mae Rhys hefyd yn cadeirio'r grŵp trawsbleidiol ar ddementia yn y Senedd.

Yr Athro Bob Woods: Arbenigwr rhyngwladol ar ofal dementia. Cyn ei ymddeoliad roedd yn Athro Seicoleg Glinigol Pobl Hŷn ym Mhrifysgol Bangor ac yn gyfarwyddwr Canolfan Datblygu Gwasanaethau Dementia Cymru. Mae e hefyd yn aelod o wahanol fyrddau Ewropeaidd yn ymwneud â dementia.

Elen ap Robert: Cerddor, cantores a therapydd cerdd. Mae'n gyn-gyfarwyddwr artistig Galeri ac yn ddiweddarach Canolfan Celfyddydau ac Arloesi Pontio, a hefyd yn aelod o Fwrdd Opera Cenedlaethol Cymru a Chyngor y Celfyddydau.

Elin ap Hywel: Llenor a bardd o Aberystwyth a gafodd ddiagnosis o ddementia yng nghanol ei phumdegau.

Efan Rhys Fairclough a Ffion Heledd Fairclough: Mae Efan a Ffion yn frawd a chwaer sydd wedi eu magu ym Mhontypridd. Mae Ffion ym Mlwyddyn 12 yn Ysgol Garth Olwg ac mae'n mwynhau cerddoriaeth a chwarae pêl-droed i dîm AFC Porth, ac mae'n aelod brwd o Adran Bro Taf. Mae Efan wedi dechrau astudio Meddygaeth ym Mhrifysgol Caerdydd ac mae'n gyn-aelod o Senedd Ieuenctid Cymru. Mae'r ddau yn mwynhau cwmni eu tad-cu, y cyn-Farnwr Philip Richards, ac yn ymweld ag e'n gyson ers iddo ymgartrefu mewn cartref gofal yng Nghaerdydd.

John Phillips: Mae'n gyn-Brif Weithredwr a chyn-Gyfarwyddwr Addysg Cyngor Sir Dyfed. Brwydrodd dros gael chwarae teg i Bethan, ei wraig, oedd yn awdur poblogaidd, ac yn dioddef o ddementia.

Jayne Evans: Rheolwraig Cartref y Bedyddwyr Glyn Nest, Castellnewydd Emlyn.

Dr Catrin Hedd Jones: Seicolegydd a darlithydd mewn Astudiaethau Dementia ym Mhrifysgol Bangor. Mae'n ymgyrchydd dros bwysigrwydd y Gymraeg mewn gwasanaethau dementia. Bu'n gysylltiedig â'r rhaglenni pontio'r cenedlaethau ar S4C a'r BBC, yn eu plith *Hen Blant Bach*.

Yr Athro Mari Lloyd-Williams: Athro a Chyfarwyddwr y Grŵp Lliniarol a Chefnogol ym Mhrifysgol Lerpwl, ac un o sefydlwyr Canolfan Gofal Dydd Capel Waengoleugoed, Llanelwy.

Dr Conor Martin: Ymgynghorydd Gofal yr Henoed yn Ysbyty Gwynedd. Mae ganddo radd Meistr mewn 'Ymchwil Heneiddio a Dementia' ac mae'n ymddiddori'n arbennig yn narpariaeth gwasanaethau Cymraeg mewn gofal dementia.

Elin Wyn: Cyn-gynhyrchydd newyddion gyda'r BBC, cyn-ddarlithydd Busnes gyda'r Coleg Cymraeg, ac ymgynghorydd cyfathrebu. Roedd ei mam, Bethan, o Langrannog, yn athrawes yn ysgolion Rhydfelen a Glantaf ac yn un o sylfaenwyr ac ysgrifennydd cyntaf Mudiad Ysgolion Meithrin.

Glenda Roberts: Cyn-aelod o staff Ysbyty Bryn Beryl, Pwllheli. Mae Glenda yn byw gyda dementia ac mae'n ymgyrchydd diflino dros gael tegwch i bobl sydd â'r salwch.

Yr Athro Julie Williams: Un o'r gwyddonwyr mwyaf blaenllaw yn y byd ym maes ymchwil i'r genynnau yng nghyswllt Alzheimer's a dementia. Cafodd yr ymchwil a gyhoeddodd yn 2009 ei restru gan gylchgrawn *TIME* fel un o'r deg darganfyddiad meddygol pwysicaf.

Hefyd o'r Lolfa:

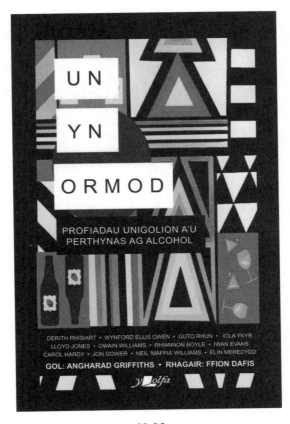

£8.99

BYW YN FY NGHROEN

Profiadau pobl ifanc yn ymdopi
â chyflyrau hir dymor.

Gol. Sioned Erin Hughes

£7.99

CODI LLAIS

Bywyd merched yng Nghymru heddiw

Gol. Menna Machreth

Mabli Jones, Elliw Gwawr, Fflur Arwel, Rhiannon Marks,
Meleri Davies, Siân Harries, Sara Huws, Enfys Evans, Elin Jones,
Lisa Angharad, Mari McNeill, Elena Cresci, Kizzy Crawford

yLolfa

£7.99

Galar a Fi

Profiadau ingol o fyw gyda galar

gol. Esyllt Maelor

Branwen Williams, Manon Steffan Ros, Luned Rhys, Cris Dafis,
Gareth Roberts, Nia Gwyndaf, Arthur Roberts, Iola Lloyd Owen,
Sharon Marie Jones, Llio Maddocks, Mair Tomos Ifans,
Dafydd John Pritchard, Manon Gravell, Sara Maredudd Jones

£7.99

GYRRU DRWY STOROM

Profiadau dirdynnol o fyw
gyda salwch meddwl

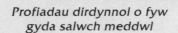

Angharad Gwyn · Angharad Tomos · Alaw Griffiths
Bethan Jenkins · Caryl Lewis · Geraint Hardy
Hywel Griffiths · Iwan Rhys · Llyr Huws Gruffydd
Dr Mair Edwards · Malan Wilkinson

Gol. Alaw Griffiths

£7.99